Welcome back! Mit se

Adam Fletcher allen

zahllosen Deutschen geholfen, sich in diesem herrlichen Land halbwegs zurechtzufinden. Jetzt ermutigt er uns zu den nächsten Schritten der Integration. Er weiht uns ein in die tiefen Geheimnisse von Kaffee und Kuchen, Baumärkten und Weihnachtsmärkten, von Holzspielzeug und Tischfußball. Wir lernen, warum die Deutschen alle Schuld dem Wetter zuschieben und nur mit ihrer Küche umziehen, warum hierzulande die Würze in der Kürze liegt, aber trotzdem jeder begeistert seinen Senf dazugibt. Adam Fletchers respektlose Liebeserklärung ist so ziemlich das Beste, was diesem Land passieren konnte!

ADAM FLETCHER

ist Engländer, 33 Jahre alt, glatzköpfig und lebt in Berlin. Er zählt zu den enthusiastischsten ehrenamtlichen Deutschen und hat bereits Diplome in Mülltrennung, Kartoffelzubereitung und Schlagerseligkeit erworben. Bei C.H.Beck erschien 2013 sein Bestseller *Wie man Deutscher wird in 50 einfachen Schritten.*

ROBERT M. SCHÖNE

ist Deutscher, Einsiedler, Grafikdesigner und Illustrator. Er lebt in einer Höhle in der malerischen sächsischen Stadt Pirna. Seit Erscheinen der ersten Folge von *Wie man Deutscher wird* hat er sich alle Mühe gegeben, «richtige» Arbeit zu finden. Er weigert sich weiterhin resolut, beim roten Ampelmännchen zu warten.

ADAM FLETCHER

WIE MAN DEUTSCHER WIRD

IN 50 NEUEN SCHRITTEN

EINE ANLEITUNG VON ADVENTSKRANZ BIS TJA

Aus dem Englischen
von Ingo Herzke

Mit Illustrationen
von Robert M. Schöne

C.H.BECK

Originalausgabe

Satz: Druckerei C.H.Beck, Nördlingen
Druck und Bindung: Pustet, Regensburg
Umschlagabbildung und -gestaltung: Robert M. Schöne
Printed in Germany
ISBN 978 3 406 69869 9

www.chbeck.de

VORBEMERKUNG

Schön, dass du wieder da bist, mein little foreigner!

Ich habe dich in den letzten Jahren beobachtet. Du hast dich sehr gut integriert, keine Frage. Du machst dieser großartigen Nation der Dichter, Denker und Döner alle Ehre. Souverän trennst du dein Plastik von deinem Papier und deinen Akkusativ vom Dativ. Darum bist du wahrscheinlich überrascht, wieder von mir zu hören. *Wir sind doch durch, Adam, oder? Die ersten fünfzig Schritte gehören zu meinem Alltag. Du solltest mal sehen, wie viele Kartoffelrezepte ich kenne, Adam. Und wie lange ich schon nichts mehr ohne Kohlensäure getrunken habe. Wie viele neue Qualifikationen und Versicherungen ich mir zugelegt habe. Und ich lasse keine Gelegenheit zum Klugscheißen aus …*

Nicht so hastig.

Kulturelle Assimilation kommt nie an ein Ende. Sie ist eine lebenslange Aufgabe. In dem Moment, in dem du denkst, du hast die Seele einer Nation begriffen, flutscht sie dir aus den Fingern und versucht, sich wieder einmal neu zu erfinden. Das trifft hier, in unserem geliebten Heimatland, ganz besonders zu. Gerade mal drei Jahre ist es her, dass *Wie man Deutscher wird 1* es auf die hiesigen Bestsellerlisten geschafft hat, und trotzdem hat sich seither so viel verändert:

1. In dem verzweifelten Versuch, sich selbst als das komplette Gegenteil effizienter, genügsamer Konstruktionsgenies neu zu positionieren, haben deutsche Amtsträger einige der spektakulär stümperhaftesten Bauprojekte der jüngeren Geschichte angestoßen – die *Elbphilharmonie* und den *Flughafen Berlin Brandenburg*. Zusammen sind die beiden Bauvorhaben viele Jahre und Milliarden Euro über dem Plan. Eine teure Anti-PR-Offensive, könnte man sagen, die zeigt,

wie sehr es nerven kann, ständig als die ordentlichste Nation des Planeten betrachtet zu werden.

2. Nach dem Motto «Wer am Boden liegt, der soll sich noch selber treten» hat Deutschland daraufhin das Vertrauen der Welt in seine Autoindustrie vor die Wand gefahren. In der Heimat der Autobauer, Autofetischisten und Formel-1-Weltmeister musste man erfahren, dass Volkswagen bei den Abgastests geschummelt und mit voller Absicht die Umwelt verpestet hatte. Die Reaktion war, nun ja, in erster Linie Verblüffung. Wir stellten unsere Bionade ab, unterbrachen das Sortieren von Altpapier und Wertstoffen und schauten fassungslos zu, was für ein absurdes Theater da gespielt wurde. Und zwar bei uns. Nicht etwa in den USA, wo man mit so etwas doch wenigstens gerechnet hätte.
3. In einem bemerkenswerten Akt unerwarteter Vernunft hat Deutschland auf die humanitäre Krise des Jahres 2015 (in der so viele andere den Kopf verloren) mit der Ausrufung der «Wir-schaffen-das»-Nation reagiert. Während andere Länder nach rechts drifteten und neue Mauern und Zäune errichteten, hat Deutschland sie immer wieder eingerissen, seine Türen, Zelte und (größtenteils) seine Herzen geöffnet, als eine Million neue Mitbürger ins Land kamen – angezogen von dem stabilen Rechts- und Sozialsystem, der Lebensqualität, der Abwesenheit verheerender Bürgerkriege und von Bielefeld.
4. Deutschlands extreme Rechte mobilisierte ihre Anhänger – hauptsächlich als Reaktion auf diesen plötzlichen Zustrom neuer, oft vollbärtiger Mitbewohner – auf den Straßen Dresdens unter dem Namen PEGIDA und marschierte ein wenig herum. Das Marschieren breitete sich auf andere große und kleine Städte und in die sozialen Medien aus, wodurch man ironischerweise tatsächlich etwas vertrieb – nämlich all die süßen Katzenvideos und Selfies aus unserer vorher weniger politisierten Chronik. Es wurde ernst. Hass regierte. Jede Menge Hass.

5. Angela Merkel wurde von der Zeitschrift *Time* zur Persönlichkeit des Jahres gewählt. Die *New York Times* schrieb: «Es gibt eine neue Nation von Zupackern und Machern. Sie heißt Deutschland.» Der *Economist* überbot das noch mit: «Wenn man ein Land überhaupt jemals als gut bezeichnen kann, dann gilt das heute für Deutschland.» Außenpolitik und Innere Ängstlichkeit kollidierten aufs Heftigste, als achtzig Millionen Deutsche sich über diesen plötzlichen, unvorhergesehenen Tsunami der Lobpreisungen wunderten und annahmen, er werde sicher vorübergehen und sie könnten es sich bald wieder in ihrer gewohnten Rolle des reuigen Ex-Bösewichts bequem machen.

Kurz gesagt, es ist heute genauso faszinierend, Deutschland verstehen zu wollen, wie zu der Zeit, als das erste Buch erschien. Oder eher noch faszinierender, denn da die Grundlagen bereits im ersten Buch behandelt wurden, können wir gleich mal den Urlaub auf Malle stornieren, die Jack-Wolfskin-Shrousers ablegen, das Glas kühle Apfelsaftschorle wegstellen und uns aus den seichten Gewässern germanischer Gemeinplätze in die dunkleren Tiefen der deutschen Seele vorwagen. Dementsprechend sind die folgenden fünfzig Schritte ein wenig komplexer und subtiler als im ersten Buch. Vielleicht werden weniger Einheimische sich eingestehen, dass sie zutreffen. Doch es lässt sich alles finden, wenn man nur genau hinschaut und ein bisschen entschlossener stochert. Wir sind schließlich keine Anfänger mehr, mein lieber foreigner. Das hier ist die Profi-Ausgabe. Da muss man schon mal einen Gang hochschalten.

Keine Sorge, wir schaffen das …

PS: Ach ja, und Deutschland hat mal wieder ein großes Fußballturnier gewonnen! Jetzt werdet ihr aber ein bisschen gierig, Leute.

1. POKERFACE

Ich würde niemals behaupten, dass Deutsche weniger emotional sind als andere Nationalitäten. Wie kann man achtzig Millionen Menschen so über einen Kamm scheren? Geht gar nicht! Niemals. Absolut verboten. Allerdings ... nein, Augenblick, lasst mich doch ausreden ... das Gefühlsleben der Deutschen ist zwar ebenso dramatisch, fantastisch und abwechslungsreich wie das aller anderen Bewohner dieses Planeten, doch ich würde sagen, sie neigen weniger dazu, es sich ins Gesicht zu schreiben. Gäbe es ein deutsches Nationalgesicht, es wäre ein Pokerface – eine zurückhaltende Miene, die so wenig wie möglich verrät. Wenn die Augen tatsächlich das Fenster zur Seele sind, so wurden die deutschen Fenster von Anfang an mit Rollos ausgestattet.

Es ist nicht so, als würden die Deutschen überhaupt nicht lächeln oder gestikulieren, wenn sie vom Erklärungsbedürfnis oder einem Gefühl mitgerissen werden. Aber diese körperlichen Ausdrucksformen sollen, wenn sie denn mal aus dem Sack gelassen werden, auch Wirkung entfalten. Wenn alle Leute einfach Gratislächeln verteilen würden, nur weil sie einen Euro auf dem Boden gefunden haben oder es bloß noch zwei Tage bis zum Wochenende sind oder sie an einen geliebten Menschen denken – das könnte die ganze emotionale Volkswirtschaft schwächen! Womöglich fangen die Leute dann bei erstbester Gelegenheit an zu lächeln, und alle würden sich verpflichtet fühlen mitzumachen, und das könnte eine emotionale Hyperinflation auslösen. In diesem Land hat es wahrlich genug Hyperinflation gegeben, vielen Dank auch. Wir könnten zu einer Art Italien werden, wo man eine fünfzehnminütige Pantomime aufführen muss, um einen Laib Brot zu erwerben. Nein, so geht es nicht. Deutsche sind wie Smarties – außen hart glasiert, innen süß schmelzend.

Für dich mit deinem Migrationshintergrund, lieber foreigner,

LEITFADEN DEUTSCHE GESICHTSAUSDRÜCKE

könnte das natürlich ein Problem darstellen. Reiß dich zusammen, Kumpel! Sicher, das Leben hier ist so toll und du würdest das gern zeigen, indem du die Mundwinkel ein bisschen nach oben ziehst oder die Augen aufreißt als allgemein anerkannter Ausdruck von Freude, Begeisterung und Glück, aber: Lass es, Pokerface.

2. IN DER KÜRZE LIEGT DIE WÜRZE

Dabei geht es nicht nur ums Mienenspiel. Während man in manchen Kulturen immerzu jeden Satz und jede Stille mit fadem Geschnatter füllt, haben die Menschen hier erkannt, dass in der Kürze eine gewisse edle Schönheit liegt. Bloß weil du mit deinem Ehepartner im Restaurant sitzt, müsst ihr ja nicht miteinander reden. Was habt ihr schon zu sagen, was noch nicht gesagt wurde? Eben. Nichts. Bloß weil du ein Gefühl hast, musst du es ja nicht unbedingt gleich teilen. Gefühle hat jeder. Große Sache. Du siehst im Innenhof jemanden, den du kennst? Fang kein unbeholfenes Gespräch über das Wetter an. Einfach «Guten Tag», und weiter geht's. Dann ist es eben dein Wohnungsnachbar – ja und? Da hast du ja noch reichlich Gelegenheit für Gespräche, oder?

Weil Worte kostbar sind, sollte man sie nicht mit Satz-Moltofill entwerten. Kurz und süß ist wunderbar. Wenn die Zeit dafür nicht reicht, dann eben nur kurz. Kurz und sauer geht meistens auch, falls du das fragen wolltest. Ich könnte dir noch viel mehr erzählen, aber warum eigentlich? Halten wir inne und genießen gemeinsam die Schönheit der Kürze. Ende der Diskussion.

3. DO IT YOURSELF

Als ich in Neuseeland lebte, hörte ich einmal von einer beliebten Dienstleistung: «Deutsche Handwerker mieten». Offenbar sind Deutsche handwerklich so viel besser und geschickter als alle anderen, dass dieses Unternehmen sie einmal um den ganzen Globus bis nach Neuseeland umsiedelte, um den verwirrten Kiwis weiterzuhelfen, die eine Rohrzange nicht von einem Rohrkrepierer unterscheiden können.

Jetzt ist es an der Zeit, dass du genauso kompetent wirst. Am Anfang werden dir deutsche Baumärkte noch Angst einjagen. Keine Sorge – das ist völlig normal. Du denkst vielleicht, du kannst einfach kurz hineinhuschen, dir rasch so ein *Dingsbums* schnappen, das an das Ende eines *Wieheißt-es-noch* gehört und rechtzeitig zum *Dschungelcamp* wieder zu Hause sein. Aber nein, geliebter Migrant, so wird es nicht laufen. Die Deutschen sind Profis auf diesem Gebiet; du jedoch bist noch ein Anfänger. Mit furchtsamen Augen und offenem Mund wirst du in diesen deutschen *Tempel der exzessiven Spezialisierung* hineinspazieren. Du glaubst, es könnte ungefähr ein Dutzend verschiedene Schraubenzieher geben, mehr, als man realistisch betrachtet jemals brauchen kann, doch du wirst sechshundert finden. Als Ausländer in einem deutschen Baumarkt fühlt man sich ein wenig wie Kaspar Hauser am ersten Tag außerhalb seines Kämmerchens. Man hat keine Ahnung, was los ist, man hat nicht mal die richtigen Kategorien im Hirn, um die Dinge zu verarbeiten und zu speichern, die man sieht. Um einen Ausdruck von Donald Rumsfeld zu benutzen: Der Besuch in einem deutschen Baumarkt ist nicht nur ein Sprung ins Unbekannte, sondern ins «unbekannte Unbekannte», wo die Grenzen deines handwerklichen Wissens tatsächlich auch die Grenzen deiner Baumarktwelt bilden.

Was tust du also? Während du ziellos zwischen den Regalen herumwanderst, merkst du bald, dass du Hilfe brauchst. Also suchst du nach Personal. Doch du wirst keines finden. Keine Angestellten, keine Verkäufer, nirgends. Die Deutschen brauchen sie nicht. Sie wissen ja, was sie tun. Stunden vergehen. Vor einem Gang, in dem sechstausend verschiedene Duschköpfe aufgereiht sind, fängst du leise an zu weinen. Du wolltest doch bloß so ein *Dingsbums*, das an das Ende eines *Wie-heißt-es-noch* gehört. *Dschungelcamp* ist schon längst vorbei. Du hast keinen Schimmer, wer gezwungen wurde, einen Känguruhoden zu essen. Also stolperst du zum Ausgang zurück, kraftlos und ausgehungert. Und falls du dich das ohnehin schon gefragt hast: genau deshalb stehen Bratwurststände vor der Tür – zur Speisung der Verlorenen und Verdammten. Ein selbstbewusster Deutscher mit perfekter Körperhaltung und kalter Stimme ruft: «Vorsicht», während er sich mit einem Transportwagen an dir vorbeischiebt, auf den er genug Material zum Nachbau der Arche Noah gestapelt hat.

Was du an diesen Läden besonders hassen wirst? Alles. Absolut alles. Vielleicht hat man dir so wie mir beigebracht, dass man sich, wenn etwas gemacht werden muss, jemanden mit den passenden Fähigkeiten sucht, der es für einen erledigt. Das bedeutet zwar, dass man selbst keine neuen Fähigkeiten erwirbt, aber auch keine neuen Blasen. Es ist ein Tauschgeschäft, über dessen ethisch-moralische Implikationen du frohgemut grübeln kannst, während du auf dem Sofa die Beine hochlegst. Doch jetzt leben wir beide hier – Tag für Tag umgeben von Menschen, die wissen, wie man Wandregale anbringt. Die ihre Küchen selbst eingebaut haben. Die ein Buch über das *Dingsbums* schreiben könnten. Willst du ihre Achtung erwerben, musst du aufhören, einen Handwerker zu holen, sobald eine Glühbirne den Geist aufgibt.

Umziehen? Bestell keine Spedition – denen kann man nicht trauen. Zwing alle Leute zur Mithilfe, die du kennst – und ein paar Wildfremde, die zufällig in der Nähe sind –, damit sie eine Kette bilden, die von der Ladefläche des Lkw (den du natürlich von einem Freund geliehen hast) bis zu deiner Türschwelle reicht. Fußboden verlegen? Du weißt, was zu tun ist – Selbermachen. Kann doch nicht so schwer sein. Man tritt schließlich bloß darauf. Die Schwerkraft ist auf deiner Seite. Neue Küche einbauen? Veranstalte einfach am Wochenende eine Kücheneinbauparty, bei der du und ein paar deutsche Kumpel sie einbauen – einfach so aus Spaß, würde ich sagen, denn bezahlen musst du deine Freunde nur mit Bier und Pizza, was in Deutschland anscheinend die bevorzugte Währung für Gefallen ist (so eine Art primitive Bitcoins).

Das alles mag dich zunächst ziemlich einschüchtern, doch deine neuen Mitbürger verlangen ja sonst nicht viel von dir, oder? Ein bisschen Ordnung. Sonntagsruhe. Kaffee und Kuchen. Also. Bitte, bitte, versuch es. Wenn etwas gemacht werden muss – mach es selbst.

4. AM DRITTES-REICH-FIEBER LEIDEN

Zweifellos bist du in deinem Herkunftsland öfter krank gewesen und hast all die üblichen, langweiligen Beschwerden abgehakt, die dort geboten werden. Dann wollen wir mal mit ein paar exotischen Krankheiten von hier ein wenig Würze in dein Leben bringen. Fangen wir mit dem *Drittes-Reich-Fieber* an.

Der größte Witz am jüngsten Bestseller *Er ist wieder da* ist, dass irgendjemand geglaubt hat, *er* sei jemals weg gewesen. Sicher, sein Leib, seine Herrschaft, seine Politik sind untergegangen, aber das Interesse am Mann mit dem quadratischen Schnauzbart ist immer höchst lebendig geblieben. Wenn es ein Reich gibt, dem es hier in Deutschland nie ge*reich*t hat, dann das Dritte. Ein deutscher Freund hat das Phänomen mal gut auf den Punkt gebracht: «Über Hitler weiß ich mehr als über meine Großmutter.»

Autoren und Journalisten überall wissen um diese langlebige nationale Faszination, weshalb sie jedes Nachrichtenloch mit Berichten über Hitlers Golflehrer, Hitlers Hundeausführer oder den Hundeausführer von Hitlers Golflehrer füllen können. In anderen Ländern sagt man: *Sex sells*; hier müsste es heißen: *Hitler sells*. Sex verkauft natürlich auch ganz gut. Und beides schließt einander nicht unbedingt aus, auch wenn schon nächste Woche irgendein Experte wahrscheinlich ein Eva-Braun-Tagebuch entdecken wird, das genau darauf hindeutet. Deine Aufgabe als Deutschlehrling ist es nun, die gleichen Symptome zu entwickeln wie alle anderen, und das heißt: äußerliche Teilnahmslosigkeit zu demonstrieren, vielleicht sogar genervt die Augen zu verdrehen, wenn die Rede mal wieder (und wieder und wieder) auf den Zweiten Weltkrieg und das Dritte Reich kommt, aber gleichzeitig dem körperlichen Zwang zu unterliegen, wenn niemand hinschaut, all diese Artikel und Storys anzuklicken – und so dafür zu sorgen, dass immer neue entstehen und sich das extrem ansteckende *Drittes-Reich-Fieber* weiter ausbreiten kann.

5. OSTALGIE-KAPITALISMUS-KONFLIKT

Im Jahr 2009 antwortete ich auf einen Aushang am Schwarzen Brett der Universität Leipzig. Die Anzeige stammte von einem Mann, der Fahrräder verkaufen wollte. Ich nahm meine deutsche Freundin, Annett, mit, weil ich total inkompetent bin und sie nicht. Wir kamen zu der angegebenen Adresse, hinter der sich im Grunde nur ein verfallener Schuppen verbarg. Fünf Minuten später trat ein Riese aus einem benachbarten Haus. Er war über zwei Meter groß und ging geneigt wie eine italienische Sehenswürdigkeit. Seine winzigen Augen und seine schroffe Art wirkten so, als sei er gerade aus langem Winterschlaf erwacht.

Drinnen fanden wir eine marode Werkstatteinrichtung und, wie versprochen, einige Fahrräder vor. Das erste war rot und hatte in etwa die richtige Größe. Ich hob es an und versetzte nacheinander Vorder- und Hinterrad in Bewegung. Der Mann betrachtete das Fahrrad mit unverhohlenem Abscheu.

«Diese chinesische Scheiße», sagte er und nahm mir das Rad ab.

«Ist schon okay», meinte ich. Zur Antwort trat der Mann gegen den Reifen. «Das ist kein gutes Fahrrad», sagte er und schubste es in den hinteren Teil des Schuppens. Dann setzte er zu einer langen Wutpredigt an. «In der DDR haben wir Dinge noch wertgeschätzt. Und Sachen gebaut, die hielten. Nicht so wie heute. Heute? Gebrauchen, wegschmeißen, neu kaufen. Reparieren? Reparieren!! Dass ich nicht lache. Kapitalistische Kackscheiße.»

«Will er die Fahrräder nun eigentlich verkaufen?», fragte ich Annett flüsternd. Wir hatten uns beide ein, zwei Schritte zurückgezogen, in Richtung Fluchtweg.

«Damals war sicher nicht alles perfekt», fuhr der Mann fort. «Aber wir hatten Respekt vor den Sachen. Wir haben Sachen hergestellt, die lange hielten.»

«Kann ich das Rad mal Probe fahren?» Ich zeigte auf das grüne Rennrad, das gerade ausgeschimpft wurde. «Das sieht doch aus, als wäre es in ganz gutem Zustand.»

«In gutem Zustand?», lachte der Mann. «Nein, das ist es nicht.»

Als schließlich keine Räder mehr zum Verkauf standen, dankten wir dem Mann – obwohl er unsere Zeit verschwendet und das Konzept von Angebot und Nachfrage gründlich missverstanden hatte. Auf dem Heimweg fragte ich Annett, was gerade passiert war.

«Ich glaube, dieser Mann leidet an *Ostalgie*», antwortete Annett. Und dann erklärte sie mir dieses bemerkenswerte Symptom.

Aber, mein aufmerksamer Leser, in diesem Schritt geht es nicht um Ostalgie – jene Nostalgie, die man tatsächlich noch bei manchen Menschen aus dem Osten Deutschlands findet, deren Erinnerungen an die DDR im Lauf der Zeit immer rosiger geworden sind. So faszinierend dieses Phänomen sein mag, ich glaube nicht, dass es häufig genug vorkommt, um einen eigenen Schritt in diesem Buch zu rechtfertigen. Nein, hier geht es um ein verwandtes Leiden, das ich *Ostalgie-Kapitalismus-Konflikt* nenne.

Ich habe die Eltern von Freunden kennengelernt, die in Leipzig an den Montagsdemonstrationen teilgenommen haben, die also Teil der großen Bewegung waren, welche schließlich die Mauer zum Einsturz brachte. Sie beobachten enttäuscht die zunehmende Kommerzialisierung der DDR und ihrer Accessoires, und mit jedem neu eröffneten DDR-Themenhotel, -laden, -restaurant oder -museum wächst ihre Enttäuschung. Diese Geschäftsmodelle werden von täglich mehr Touristen auf ihren Trabi-Safaris durch den Osten frequentiert. Doch alle

Leute – von den Deutschen und den hier lebenden Ausländern bis zu den Touristen, die bloß für ein langes Wochenende einfliegen –, alle müssen sie jenen inneren Konflikt bewältigen; er entspringt dem Wissen, dass die DDR ein totalitärer Staat war. Jeder weiß, dass es falsch ist, einen solchen Staat kommerziell auszuschlachten und ihn zu Touristenplunder zu trivialisieren. Andererseits, dieser Schlüsselanhänger mit dem Ampelmännchen ist doch echt süß! Er wäre ein tolles Geschenk. Und was ist das da, Club Cola? Wahnsinn. Und Spreewälder Gurken! Groß-

artig. Ooooh, das Sandmännchen! Deren Sandmännchen war so viel besser als unseres. Ich kauf mir die Stoffpuppe davon. Als Geschenk, weißt du. Für wen? Ähm. Hmm …

6. PERMANENT NACH DAVID HASSELHOFF GEFRAGT WERDEN

Ich weiß deine Assimilationsbemühungen sehr zu schätzen, aber ich muss dich warnen: Im Vergleich der Nationalitäten ist es ziemlich unbequem, Deutscher zu werden. Da ist zum einen die finstere Geschichte. Dann die schwierige Sprache, die außerhalb Deutschlands kaum jemand spricht. Dazu die Klischees, dass du ernsthaft und humorlos seist. Und *Scooter*. Das Schlimmste allerdings ist ein Aspekt, von dem die meisten Menschen keine Ahnung haben – dass man nämlich immer und überall gefragt wird, warum das ganze Land David Hasselhoff so sehr liebt. Wenn Deutsche ins Ausland reisen, kriegen sie regelmäßig *die Hasselhoff-Frage* gestellt. Als sollten sie ganz allein für alle musikalischen Sünden der achtziger Jahre büßen. Das ist eine schwere Bürde. Hier ein typisches Gespräch über das Thema:

Ausländer: «Wolfgang, warum stehen die Deutschen eigentlich so auf David Hasselhoff?»

1. Deutscher: «Keine Ahnung.»

Ausländer: «Und, findest du ihn gut?»

1. Deutscher: «Nein. Ich glaube, Christian mag ihn. Christian, du warst doch früher ein großer David-Hasselhoff-Fan, oder?»

2. Deutscher: «Nein. Ich dachte, du fährst auf ihn ab.»

1. Deutscher: «Ich? Nein. Ich konnte ihn nie ausstehen. Arno?»

3. Deutscher: «Auf gar keinen Fall!»

1., 2. und 3. Deutscher: «Okay, aber wer fand ihn dann jemals gut?»

Alle zucken die Achseln.

Es ist nicht ganz klar, wo das Gerücht – dass David Hasselhoff in Deutschland ein Superstar ist – seinen Ursprung nahm. Ich war selbst ein bisschen investigativ unterwegs, habe alle Hauptverdächtigen interviewt, die staubigen Archivregale von YouTube durchforstet und bin zu dem Schluss gekommen, dass das Gerücht von … David Hasselhoff stammt. Ich gebe zu, es gibt filmisches Beweismaterial, dass er einmal in Deutschland aufgetreten ist, aber ich habe den Verdacht, dieses Video ist gefälscht. Ich glaube, er hat sich selbst in eine Aufnahme des legendären Bruce-Springsteen-Konzerts in Ostberlin 1988 hineingeschnitten. Ja, so sieht's aus: Onkel Dave sucht Deutschland seit Jahrzehnten aus der Ferne heim. Jedes Mal, wenn seine jüngste Fernsehshow floppte, ein Plattenvertrag platzte oder sein Reservierungsversuch in einem hippen neuen Restaurant scheiterte, rief er laut: «WISST IHR ÜBERHAUPT, WER ICH BIN? IN DEUTSCHLAND BIN ICH EIN MEGASTAR!», bevor er noch irgendwas davon murmelte, dass er «eigenhändig die Mauer niedergerissen» habe. Die Geschichtsschreibung – ein wenig verlässlicher Zeuge aktueller Ereignisse – beschloss, wenn er das immer wieder behauptete, müsse es wohl stimmen,

oder? Und die Legende, dass David Hasselhoff in Deutschland ein Star ist, ging in die moderne Mythologie ein, so wie das Ungeheuer von Loch Ness, die Chemtrails oder die Tatsache, dass man die Chinesische Mauer aus dem Weltall erkennen kann.

Mal ehrlich, David, du kannst ja nicht mal «Hof» richtig schreiben. Ein Superstar in Deutschland? Abgesehen von deinem Super-Ego bist du schon sehr lange nirgendwo mehr ein Superstar. Das kann man wahrscheinlich sogar aus dem Weltall erkennen. Wären die Deutschen tatsächlich «auf der Suche nach Freiheit», dann wahrscheinlich am ehesten der Freiheit von der Vorstellung, dass sie David Hasselhoff jemals toll fanden. Also bitte: Fragt sie nicht danach.

7. KAFFEE UND KUCHEN

Bei oberflächlicher Beobachtung des deutschen Alltagslebens könnte man zu dem Schluss kommen, dass die geweihten Momente in diesem Land entweder der Sonntagabend, 20 Uhr 15, oder der gesamte Dezember sind. Ich würde jedoch behaupten, dass es ein weiteres heiliges Ritual gibt, das du so oft wie möglich einhalten musst: *Kaffee und Kuchen*. Kaffee und Kuchen ist genau, wonach es sich anhört. Man trinkt Kaffee und isst Kuchen. Idealerweise um 3 Uhr nachmittags. Aber es ist auch viel mehr als das. Es ist ein heiliges Freundschaftsritual, das ohne geringste Vorwarnung abgehalten werden kann. Natürlich nicht nur zu Hause, sondern auch im Büro, sollte es dort etwas zu feiern geben. Oft auch, wenn es nichts zu feiern gibt – Kaffee und Kuchen sind sich selbst Feier genug.

Als angehender Kraut bist du also verpflichtet, sobald Gäste vor der Tür stehen, sie hereinzubitten, ihnen Hausschuhe anzubieten und sie in die Küche zu setzen, wo sie dann erwarten, Kaffee und Kuchen serviert zu bekommen. Egal, um welche

Uhrzeit. Wie bitte, mein little foreigner? Du hast keinen Kuchen da? Schau noch mal nach. Im Kühlschrank. Ganz hinten. Jawohl, da haben sich wie von Zauberhand sieben verschiedene leckere deutsche Kuchensorten materialisiert. Sieht so aus, als hätten die Götter von Kaffee und Kuchen mal wieder ein Wunder gewirkt. Alles ist, wie es sein soll.

8. NORMUNG

Neulich besuchte ich so eine Zufallsveranstaltung, wo jeder kommen und einen Vortrag zu einem frei gewählten Thema halten konnte. Ein beleibter, glatzköpfiger Brillenträger betrat die Bühne. Seiner Ledertasche entnahm er einen riesigen Zeigestock aus Metall, der voll ausgefahren größer war als er selbst. Diesen benutzte er, um durch eine der ausgefeiltesten PowerPoint-Präsentationen zu führen, die ich je gesehen habe. Der Mann war bei einer Anstalt beschäftigt, die sich *Deutsches Institut für Normung e. V.* nennt. Ganz richtig, es gibt ein *Deutsches Institut für Normung.* In den nächsten zwanzig Minuten berichtete er uns von einer spezifischen Norm, die er mitgeschaffen hatte, und zwar für Schulranzen. Wir bekamen die vollständige Geschichte dieser DIN-Norm erklärt. Hier ein zeitlicher Überblick:

1987–1989: Fluoreszierendes Gelb erlaubt
1989–2001: Spezifische Rückstrahlwerte verdoppelt
2001–2011: Anleuchtung Flächenanteile jeweils unter 0°, 45° und 90°

Der Mann zeigte uns sogar eine Normtabelle, die sein Institut ersonnen hatte und in der geregelt wurde, wie viel ein Kind – abhängig von Alter und Körpergröße – tragen kann. Sein Vortrag war zugleich das Deutscheste und das Beste von Deutschland, was ich je gesehen habe. Es ist eine echte Schande, dass diese DIN-Norm, sein Lebenswerk, sein *opus magnum*, von den Ranzenherstellern nicht angewendet wird. Seine Augen wurden ein wenig feucht, als er uns davon berichtete – eine einzige Verschwörung, wenn man ihn fragte. «Die Hersteller erzählen uns, dass die Eltern es nicht wollen. Dass die Kinder es nicht wollen. Dass sie lieber einen niedlichen Rucksack mit Schmetterlingen drauf wollen. Also, ich weiß ja nicht, mit was für Eltern die reden, aber ich habe noch kein Elternteil getroffen, dem die Sicherheit des Schulranzens seiner Kinder egal war.»

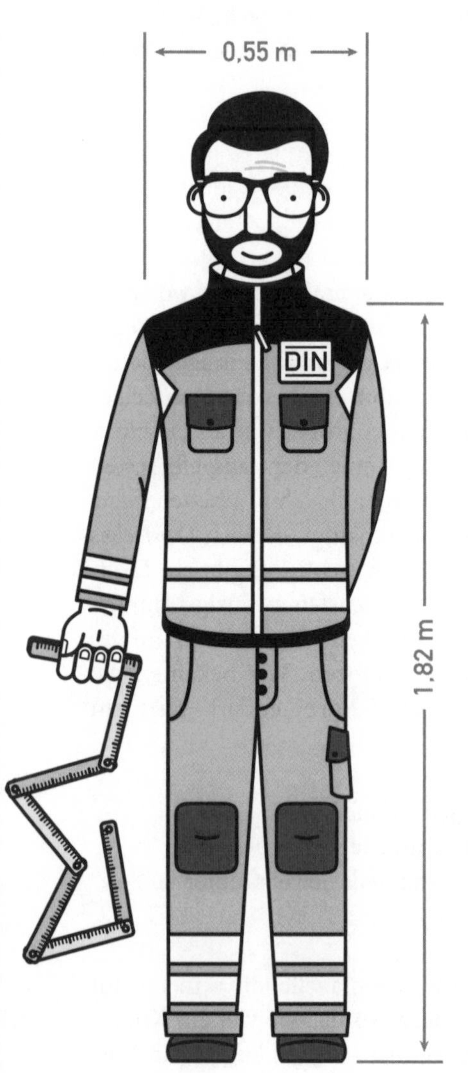

Niemand lachte, als er das sagte. Niemand fand es auch nur im Geringsten komisch, dass es ein großes Institut für die Standardisierung von Dingen gibt. Dies sollte dir so einiges über deine neue Heimat klarmachen.

9. DIE BESSERUNG VERSCHLIMMERN

Im Versuch, die Dinge des alltäglichen Lebens zu normieren, kannst du auf dem gewundenen Pfad der Perfektion leicht in die Irre gehen. Einer meiner deutschen Freunde zum Beispiel hat einmal beschlossen, all seine Socken wegzuwerfen, und kaufte dann eine Großpackung mit fünfzig Paar identischen schwarzen Socken. Eine riesige Zeitersparnis, wie er glaubte. Ein genialer *Life-Hack*, um keine Zeit mehr mit der Suche nach zusammenpassenden Socken zu verschwenden. Doch wegen seines genetisch programmierten Geizes kaufte er eine Riesenmenge billiger Socken in schlechter Qualität. Diese Socken bleichten dann rasch aus, allerdings nicht gleichmäßig, weil er sie auch nicht gleichmäßig trug, und damit stand er wieder am Anfang: Er musste zusammenpassende Socken suchen oder Paare von unterschiedlichem Farbton tragen, nachdem er einen ganzen Haufen einwandfreier Socken weggeworfen und Geld für minderwertige Ware ausgegeben hatte. Für diese Lage gibt es ein herrliches deutsches Wort: *Verschlimmbesserung*. Ich glaube, die Deutschen brauchen ein Wort dafür, weil sie so gut darin sind.

Warum? Einrichtungen wie das Deutsche Institut für Normung e.V. (ich kann den Namen immer noch nicht aussprechen ohne zu lachen) haben immer hehre Absichten. Meinen es immer gut. Doch oft sind sie in der Ausführung zu genau, zu anspruchsvoll, zu penibel, und erschaffen so ein praktisches Monster, das in seiner leuchtenden Reflektorenjacke durch die deutsche Gesellschaft wütet, vermisst, beurteilt, verklausuliert, unterteilt, verkürzt, verpflichtet, absichert und am Ende *alles unnötig verkompliziert*.

Ein verbreiteter Witz behauptet, wenn Gott ein Deutscher wäre, hätten wir es nicht nur mit zehn Geboten zu tun, sondern würden über Verstöße gegen § 259 Absatz 4 des 8. Gebotes diskutieren. Darin steckt ein Körnchen Wahrheit. Es betrifft Deutschlands unerschütterlichen Glauben an Systeme – einen Glauben, der oft auch dann noch unerschütterlich bleibt, wenn die Systeme schon gar nicht mehr funktionieren. Wenn aus der geplanten Verbesserung längst eine Verschlimmbesserung geworden ist.

10. GEH NICHT ZUM OKTOBERFEST

Neulich hat mir meine Freundin Sarah von ihrer Dienstreise nach Amsterdam erzählt. Bei dem Kongress, den sie dort besuchte, tauchten plötzlich Piratendarsteller mit Tabletts voller roher Heringe auf, Matjes genannt. Sie meinte, die Fische hätten vergammelt gerochen. Aber man sagte ihr, es sei niederländische Tradition, diese gesalzenen Heringe als ganze zu verspeisen. «Halten Sie sich die Nase zu, legen Sie den Kopf in den Nacken und lassen Sie den Fisch in Ihren Rachen fallen.» Die verkleideten Piraten waren zwar wilde Haudegen, aber keine Unmenschen, und so hatten sie Schnaps dabei zum Runterspülen und verteilten Eimer auf dem Boden, damit die Leute sich übergeben konnten. Jawohl, ihr habt richtig gelesen: Kotzeimer. Sarah wollte natürlich keine Spielverderberin sein, hielt sich die Nase zu, legte den Kopf in den Nacken und ließ sich den Fisch in den Mund fallen. Sie musste sich nicht übergeben, aber einige andere schon.

Als ich fragte, warum sie das getan habe, antwortete sie: «Na ja, andere Länder, andere Sitten. Man muss sich doch anpassen …»

«ANDERE SITTEN?!?! Meinst du, das ist tatsächlich Brauch dort? Meinst du, die haben alle ihren gesunden Menschenverstand an der Garderobe abgegeben?», fragte ich.

Also, ich glaube nicht, dass es alter niederländischer Seefahrerbrauch ist, vergammelte Fische zu essen. Ich glaube, das haben sich Eventmanager und Historiker und dergleichen Scharlatane ausgedacht, um sich auf Kosten leichtgläubiger Touristen zu amüsieren. Und jetzt gucken sie jeden Abend aus den Kulissen zu, mit zugehaltener Nase, und kichern hämisch darüber, was alberne Ausländer so alles anstellen, um *Authentische Erlebnisse*® zu haben.

Womit wir beim Oktoberfest wären. Ihr merkt schon, worauf ich hinaus will.

Das Oktoberfest ist in mancherlei Hinsicht der Matjes unter den deutschen «Traditionen». Es riecht schlecht. Man muss sich sehr wahrscheinlich übergeben. Die Preise sind gesalzen. Wenn euch jemand erzählen will, das Oktoberfest habe eine lange, reiche Kulturgeschichte, dann will dieser Jemand euch diese Kulturgeschichte wahrscheinlich zu 10 Euro die Mass Bier verkaufen. In meinen ersten Jahren hier wusste ich das natürlich auch noch nicht. Ich dachte, das Oktoberfest sei der Gipfel des Deutschen schlechthin. Ein Initiationsritus, wie der erste Ostseeurlaub oder der Erhalt einer Steueridentifikationsnummer. Also wurde ich im September immer ganz aufgeregt und quengelte bei meinen neu gewonnenen deutschen Freunden, mich mit aufs Oktoberfest zu nehmen. Das habt ihr ja vielleicht auch getan, als ihr hergezogen seid. Völlig albern. Meine Freunde haben mich nie mitgenommen. Stattdessen haben sie mich angeschaut wie ein einfältiges Kind, das ihnen sein primitives Bild von einem Pferd in rotem Buntstift zeigt. Wenn sie überhaupt antworteten, dann etwas in der Art von «Nicht mal für Geld!» oder «Als bräuchte ich einen Vorwand, mich witzig anzuziehen und Bier zu trinken. Schon mal was vom Wochenende gehört?»

Wisse also, o ausländischer Freund, dass das Oktoberfest zwar international als Quintessenz des deutschen Wesens gilt, daheim jedoch eher als Quintessenz einer touristischen Veranstaltung. Die Bayern, die können hingehen – die haben nichts Besseres zu tun. Als Bayern haben sie auch keinen Ruf zu verlieren.

Du allerdings schon. Du musst deine Ansprüche höher schrauben, wenn du deine Ausbildung zum Deutschen abschließen willst. Dieser Schritt ist also eigentlich ganz leicht. Du musst nichts tun. Absolut gar nichts. Ganz ausdrücklich solltest du von Mitte September bis Anfang Oktober nichts tun. Nicht in München. Nicht in einem Zelt. Der Rest der Welt liegt daneben. Die wahre deutsche Oktoberfest-Tradition ist nicht das Hingehen, sondern das Wegbleiben.

11. EIN OFFIZIELLER FEIERTAG FÜR MÄNNER

In Deutschland gibt es eine Menge ungewöhnlicher Feiertage. So gut wie alles kann seinen eigenen -tag bekommen – darum haben die freundlichen Menschen im *Amt für Feiertage* auch einen ganz besonderen freien Tag geschaffen: den *Herrentag* (auch *Männertag* oder *Vatertag* genannt).

Das ist sehr lustig, denn seien wir mal ehrlich: Männertag ist eigentlich jeder Tag des Jahres. Vor allem für weiße Männer in Industrieländern – also für die meisten deutschen Männer. Als solcher Mann spielt man das Spiel des Lebens auf der einfachsten Schwierigkeitsstufe, mit unbeschränkt vielen Leben und einer Milliarde Goldmünzen. Gehörst du der männlichen Spezies an? Wenn ja, zunächst mal herzlichen Glückwunsch! Zweitens aber müssen wir darüber reden, wozu du an diesem besonderen Feiertag verpflichtet bist. Du willst es doch sicher richtig machen und dir den Respekt deiner Kumpels sichern.

Um dich auf deinen großen Tag vorzubereiten, solltest du dir einen kleinen hölzernen Wagen bauen oder beschaffen, den du an dein Fahrrad hängen kannst. Befestige eine Flagge daran und lass ihn hübsch, aber auch lässig zusammengezimmert aussehen. Dann ruf all deine männlichen Freunde an und verabrede dich mit ihnen mitten im nächsten Wald. Fangt früh an – ihr habt schließlich nur einen Tag, da müsst ihr das Beste draus machen. Profitipp: Trink zu Hause schon mal ein kleines Frühstücksbier, um dich in Stimmung zu bringen. Dann füll deinen Holzwagen mit Bier, steig auf dein umgebautes Fahrrad und fahr los.

Bist du angekommen? Alle Freunde da? Okay, der nun folgende Teil ist kompliziert, also pass gut auf: Nimm eine Flasche aus dem Wagen – öffne sie – und schütte dir die Flüssigkeit in den Mund.

Und wiederholen.

Das war's.

Der Herrentag feiert eigentlich nicht all diejenigen Dinge, die die Herren der Schöpfung gut können – Sachen bauen, Sachen kaputtmachen, Sachen vergessen … Stattdessen betrachten deutsche Männer ihn gern als einen großen Überbietungswett-

bewerb. Nachdem sie an den übrigen 364 Tagen des Jahres fleißig daran gearbeitet haben – wenn auch mit begrenztem Erfolg –, ihre naturgegebene Dummheit unter der Decke zu halten, lassen sie nun in einem einzigen konzentrierten Saufgelage im Wald alles raus.

Bist du eine Frau? Dann zunächst mal herzliches Beileid. Und zweitens – ein Ratschlag für den Herrentag? Na ja … ähm … verstecken.

12. DEN TAG DER DEUTSCHEN EINHEIT NICHT FEIERN

Natürlich bekommen nicht nur Männer ihren eigenen Feiertag. Es gibt auch noch andere wichtige Tage, über die wir reden müssen. Auch Frauen haben einen eigenen Tag; der heißt logischerweise Frauentag. Er ist jedoch kein gesetzlicher Feiertag, was nur mal wieder zeigt, dass die Arbeit von Frauen nie endet. Und dass es auf der Welt nicht gerecht zugeht. Aber das wusstet ihr sicher schon. Wenn ihr wollt, könnt ihr dagegen demonstrieren: am 1. Mai, der – unabhängig vom biologischen oder sonstigen Geschlecht – der Tag der Arbeit und in Deutschland ein offizieller Feiertag ist.

Für diese beiden besonderen Tage dürft ihr euch gern begeistern, doch einen anderen Feiertag müsst ihr unter allen Umständen ohne jeden Enthusiasmus absolvieren – den Tag der Deutschen Einheit, den 3. Oktober. Den lasst ihr einfach still vorüberziehen, wie alle anderen Deutschen auch. Klar, alle sind froh über den freien Tag, aber die Tatsache, dass Ossis und Wessis jetzt derselben Party beiwohnen können (wenn jemand eine schmeißen würde), wird kaum bejubelt. An anderen Tagen jedoch kann man sicher sein, dass jemand etwas schmeißt – vor allem olle Kamellen –, wenn nämlich Karneval ist. Die sogenannte fünfte Jahreszeit beginnt im November, genau gesagt am

11.11., pünktlich um 11 Uhr 11. Wer hat behauptet, die Deutschen seien anale Zwangscharaktere? Wer in einer Karnevalsgegend wohnt, bekommt wahrscheinlich auch noch den Rosenmontag frei, an dem erwartet wird, dass man sich verkleidet, durch die Stadt paradiert und einander «Alaaf» oder «Helau» ins Gesicht schreit. Nein, ich verstehe es auch nicht. Der Karneval wimmelt von unverständlichen Liedern, geheimnisvollen Ritualen und jeder Menge Insiderwitzen, die in jeder Stadt als Codesystem fungieren, um noch tiefer bis ins Herz der Feiergemeinde vorzudringen.

13. KEINE MIKROWELLE BESITZEN

Früher kam ich an den meisten Schultagen nach Hause, holte mir Mikrowellen-Pommes aus dem Tiefkühlschrank und erweckte sie in nur sechzig Sekunden zu knusprigem Leben. Was man nicht in der Mikrowelle zubereiten konnte, wurde in unserem Haus nicht gegessen. Ofenkartoffeln oder auch ganze Mahlzeiten erforderten nur ein paar Minuten mehr. Wie die meisten Briten ersetzten wir, bewaffnet mit unserer Magischen Metall-Kochkiste, gutes Essen durch häufiges Essen. Ich glaube nicht, dass ich es ohne Mikrowelle bis ins Erwachsenenalter geschafft hätte.

Doch nicht mehr! Nicht hier! Nicht du! Nicht ich! Denk gar nicht erst drüber nach!

Ganz recht: Die Küchen deiner deutschen Freunde sind zwar bis unter die Decke vollgestopft mit 1001 Tüten, Pfandflaschen, einem ununterbrochen plärrenden Radio, Mineralwasser mit drei verschiedenen Kohlensäuregehalten und einer riesigen Auswahl an Hilfsmitteln und Werkzeugen, doch eines findest du darin sicher nicht: eine Mikrowelle. Nach jahrelanger Indoktrination durch meine deutschen Bekannten habe auch ich ak-

KÜCHENATOMKRAFT?
NEIN DANKE!

zeptiert, dass Mikrowellengeräte teuflische Fukushima-Maschinen zur sofortigen Strahlenvergiftung sind.

Ich habe herauszufinden versucht, warum Deutsche so viel Angst vor der Mikrowelle haben. Ich bin zu der Erkenntnis gelangt, dass es weniger das Gerät selbst ist als vielmehr das, wofür es steht – *exzessive Bequemlichkeit*. Oder *Convenience*, wie man inzwischen auf gut Deutsch sagt. In England war ich nirgendwo mehr als einen Meter von einem vorgefertigten Sandwich entfernt, während man hier von mir erwartet, dass ich alle Zutaten kaufe und es selbst zubereite. Und nicht nur das: Die Zutaten sollten auch nicht alle im selben Riesensupermarkt erworben werden. Nein, nein, der Wocheneinkauf muss auf die Bäckerei, die Fleischerei, den Obst-und-Gemüse-Laden oder Wochenmarkt und – für ein paar Bonuspunkte – den Bio-Supermarkt verteilt werden. Warum, fragst du dich womöglich? Dummkopf, weil die herrschende Logik dieses Landes besagt, dass Spezialisierung automatisch besser ist als Generalisierung. Und kleinere Geschäfte sind auch immer besser als große.

Und was ist das Problem mit der Mikrowelle? Nun, sie verstößt gegen eine letzte, aber ebenso wichtige Regel – langsam und natürlich schlägt schnell und künstlich. Mikrowellen sind schnell und künstlich. Und damit nicht vertrauenswürdig. Wenn wir uns ihnen und der von ihnen gewährten Bequemlichkeit blind unterwerfen, geraten wir auf eine schiefe Bahn und verwandeln uns am Ende in diese übergewichtigen Gestalten aus *Wall·E*, schweben in fliegenden Stühlen herum und schauen *Tatort*-Wiederholungen, während um uns herum die Welt zusammenbricht. Natürlich werden in den Restaurantküchen und Imbissen des ganzen Landes Mikrowellen benutzt, aber da werden diese Blackboxen der Nuklearforschung hinter verschlossenen Türen verborgen, fern den ahnungslosen Augen und Zungen deutscher Gäste, die darum weiter so tun können, als sei ihre Bulette mit traditionellen Slow-Food-Methoden aufgewärmt worden, womöglich am Spieß über offenem Feuer.

14. TJA

In fast jedem Actionfilm gibt es auf dem Höhepunkt eine Szene, wo eine Person sich selbst opfern muss, um alle anderen zu retten. Die übrigen Filmfiguren versuchen die Person zu überzeugen, dass es auch einen anderen Weg gibt, dass es noch nicht zu spät ist, dass sie ihr helfen werden …

«Geht ohne mich weiter», sagt unser (vermutlich verwundeter) Held tapfer. «Geht weiter – geht!»

«Nein! Ich werde dich nie verlassen», erwidert eine andere

Figur mit schmerzverzerrtem Gesicht, während sie unseren Märtyrer an den Schultern packt und zur sich schließenden Tür zu schleppen versucht.

«Rette dich», sagt unser Held. «Für mich ist es zu spät.»

Schließlich nimmt die andere Figur Vernunft an (und gönnt uns eine Art von Happy End) und versichert dem Märtyrer ihre unsterbliche Liebe, ehe sie ihn verlässt und durch die automatische Tür springt oder in den Helikopter oder über die Feuergrube, keine Sekunde zu früh. Tragische Musik erklingt. Im Hintergrund sehen wir eine Riesenexplosion. Wir wissen, was das bedeutet. *Adieu, Märtyrer.* Doch was wir so gut wie nie zu sehen bekommen, ist der Moment, wenn der Märtyrer allein ist. Wenn ihm die ganze Schwere seiner Lage klar wird. Wenn er erkennt, dass er sich tatsächlich geopfert hat. Dass er sterben wird. Würden wir diesen Menschen in diesem Augenblick sehen, würde er ein einziges Wort sagen: «Tja.»

Ich glaube nicht, dass es in irgendeiner Sprache ein Wort mit solcher Wucht gibt, in dem so viel steckt wie in diesem deutschen Drei-Buchstaben-Monolithen. «Tja» rührt eine dicke Suppe von Gefühlen in einem einzigen kurzen Ausdruck vollkommener Hoffnungslosigkeit und Resignation zusammen. Bestimmt hast du schon mal den deutschen Ausdruck *Weltschmerz* gehört. Nun, «Tja» steht in Maslows berühmter Hierarchie der Großen Deutschen Ängste noch eine Stufe darüber. «Tja» ist *Existenzschmerz.*

Jetzt gehört dieses Wort dir. Das ist so, als würde man dir eine scharfe Handgranate reichen. Verwende es klug. Oder auch nicht.

Tja.

15. ÜBER ÖSTERREICH LACHEN, DIE SCHWEIZ FÜRCHTEN

Wenn du dich in deinem neuen Zuhause gemütlich eingerichtet hast, wird es Zeit, mal über den Gartenzaun zu spähen und dir in Ruhe die Nachbarn anzuschauen. Deutschland hat eine ganze Menge davon. Aber im Grunde sind nur zwei wirklich wichtig, an denen Deutschland sich kulturell immer wieder reibt: die Schweiz und Österreich. In der Liebe spricht man ja gern von einem Dreiecksverhältnis; doch bei diesem Dreieck geht es eher um Hass. Oder bestenfalls Gleichgültigkeit. Deutschland, Österreich und die Schweiz sind wie drei Brüder, die in einen bitteren, jahrhundertealten Erbschaftsstreit verwickelt sind. Österreich müsst ihr euch dabei als den ernsthaften älteren Halbbruder aus einer früheren Ehe vorstellen. Er benutzt antiquierte Ausdrücke und führt sich gönnerhaft und selbstgefällig auf, weil er alles schon viel früher gemacht hat. Die Schweiz ist das eigensinnige mittlere Kind, das weggezogen ist, seinen Namen geändert, sich einen eigenen Dialekt ausgedacht und allen erzählt hat, es sei adoptiert worden. Die leiblichen Eltern? Entweder tot oder Frankreich – je nachdem, wer fragt.

Deutschland, der letzte im Bunde, ist ein typisches jüngstes Kind. Naiv, immer besorgt, irgendwas falsch zu machen, möchte nur, dass alle miteinander auskommen, und kriegt am meisten Aufmerksamkeit. Daher können die älteren Brüder es natürlich nicht ausstehen, wollen nicht mit ihm spielen und versuchen es auszutricksen. Ein Beweis dafür ist Österreichs ebenso kühner wie berüchtigter und erfolgreicher Tausch «Beethoven gegen Hitler», den Deutschland nach all der langen Zeit immer noch nicht verwunden hat. Ja, die drei sind ein ziemlich dysfunktionales Brüdergespann. Sie bilden vielleicht ein D-A-CH, aber unter einem Dach könnten sie bestimmt nicht leben.

Da du jetzt mit dem jüngsten der drei «in einer Beziehung»

CHF

lebst, ist es deine Aufgabe, immer für ihn Partei zu ergreifen. Schau verächtlich auf die Österreicher herab, weil sie altmodische Landeier sind. Betrachte sie so, wie ein Kalifornier möglicherweise Texas sieht. Und die Schweizer? Misstraue ihnen. Die Österreicher treiben vielleicht seltsame Sachen in ihren Kellern, hinter verschlossenen Türen, die Schweizer aber tun es ganz offen am hellichten Tag. Der Durchschnittsdeutsche findet die Schweiz zutiefst beunruhigend und durchtrieben, auch wenn er nicht genau sagen kann, woran das liegt. Jedenfalls kann es irgendwie nicht lange gut gehen. Als wäre die Schweiz eigentlich kein Land, sondern ein Schneeballsystem fremdenfeindlicher Skifahrer. Und diese Skifahrer haben überdeutlich klar gemacht, dass sie uns nicht leiden können, ohne je zu erklären, wieso eigentlich. Noch schlimmer: Sie finden es vollkommen vertretbar, uns 15 Euro für ein Butterbrot abzuknöpfen. Wenn du also unbedingt in die Schweiz musst, dann betrachte das Land als einen riesigen Freiluft-Geldautomaten. Schau kurz vorbei, um in Form von ein bisschen überbezahlter Schwarzarbeit Geld abzuheben, und komm schnell zurück. Aber geh ja keine langfristigen Bindungen ein – das ganze System wird noch früh genug zusammenbrechen.

16. DIE DEUTSCHE WEIHNACHT

Nachdem du dich ein ganzes hartes Jahr mit Integrieren abgemüht hast, brauchst du wahrscheinlich eine Pause, oder? Super. Da hab ich genau das Richtige für dich. Es heißt *deutsche Weihnacht*. Vielleicht hast du bereits Erfahrungen mit *internationalem Weihnachten* gesammelt, das zum Teil mit den gleichen Grundzutaten arbeitet – Geschenken, Jesus, Familienstreit. Aber entspann dich nicht zu früh, mein foreigner. Denn bei der deutschen Ausgabe ist nicht alles gleich. Hier wird Weihnachten ernst genommen: Es ist nicht bloß Familie + Kapitalismus. Es gibt Rituale, Verpflichtungen, Traditionen und Jahrmärkte, zwischen denen man sich zurechtfinden muss. Jede Menge Märkte übrigens. Bereit? Los geht's …

Die deutsche Weihnacht beginnt am 1. Dezember. Denn dann darf man das erste Türchen seines Adventskalenders öffnen. STOPP! Was hast du da in der Hand? Einen Adventskalender aus Massenproduktion von McGeiz für 2 Euro? Oh je. Das wird kaum reichen. Für maximale Authentizitätspunkte sollte auch dein Adventskalender selbstgemacht sein – so ein ganz spezieller Kalender, den deine Eltern dir gemacht haben, als du vier warst. Meine Freundin Annett hat einen solchen Kalender, den sie jedes Jahr im Januar ihrer Mutter zurückgibt, damit die ihn neu befüllen und Ende November wieder herschicken kann. Sehr süß. Am ersten Sonntag im Advent darf man auch – mit großem Zeremoniell, vielleicht solltest du dir eine Trompete ausleihen – die erste Kerze auf dem Adventskranz anzünden. Auf diesen Kränzen stecken entweder vier Kerzen oder eine große mit vier Abschnitten. Man zündet sie jede Woche an und lässt sie das vorgeschriebene Stück weit herunterbrennen. Bei solchen Einfach-Kerzen ist es ganz wichtig, dass du dich gleich beim ersten Mal ablenken lässt, weil du Kartoffelsalat machen oder die neusten Nachrichten auf *Spiegel Online* checken musst. Du vergisst also, die Kerze auszupusten, und verbrennst so den gesamten Advent gleich am 1. Dezember. Das ist eine ebenso wichtige Tradition wie die Kerze selbst.

Das nächste aufregende Ereignis der deutschen Weihnachtssaison kommt am 6. Dezember – der Nikolaustag. An diesem Tag darfst du deine Schuhe vor der Tür stehen lassen. Ich weiß, du lässt jede Nacht deine Schuhe draußen stehen und kriegst nie was dafür. Aber heute Nacht wird das anders. Wenn du ein braver kleiner foreigner gewesen bist, wird dein alter Kumpel, der heilige Nick, diese Fußbekleidung mit Süßigkeiten füllen.

Wie cool ist das denn?! Wenn du dich aber nicht anständig integriert hast – wenn du beispielsweise deine unregelmäßigen Verben nicht geübt oder vergessen hast, welche Verben trennbar sind –, dann kriegst du bloß ein Bündel Zweige oder ein Stück Kohle. So sind die Regeln, Freundchen.

Als nächstes darfst du – vorausgesetzt, dass du in der Zwischenzeit mindestens drei verschiedene Weihnachtsmärkte besucht hast (dazu mehr im nächsten Schritt) und mindestens eine Runde Plätzchen gebacken hast – deinen ersten echten deutschen Heiligabend erleben! Bist du schon aufgeregt? Solltest du auch sein. Warum? Also, erstens darfst du deine Geschenke schon am Heiligabend aufmachen. Einen vollen Tag früher als überall sonst auf der Welt. Das stellt jedoch ein kleines logistisches Problem dar, weil der Weihnachtsmann keine Nacht zur Verfügung hat, um die Geschenke anzuliefern, wenn alle schlafen. Darum versammelt sich die Familie am frühen Heiligabend zu einem Spaziergang. Dieses kurze Zeitfenster nutzt der Weihnachtsmann konsequent aus, um hereinzuschneien und alle Geschenke unter dem Baum zu verteilen. Nicht viele Geschenke, wie man es in megakapitalistischen Ländern machen würde. Sondern eine überschaubare Anzahl wohlüberlegter Geschenke, im Idealfall aus Holz.

Das viele Auspacken wird dich dann natürlich ziemlich hungrig machen. Was wirst du wohl an diesem heiligsten aller Festtage zu dir nehmen? Dumme Frage: natürlich Kartoffelsalat! Das wahre Nationalgericht. Warum Deutsche an Heiligabend Kartoffelsalat essen? Es gibt dazu zwei Theorien. Die Theorie der Deutschen lautet, dass dieses Ritual auf frühere Zeiten zurückgeht, als der Tag vor Weihnachten, also der Heilige Abend, noch ein ganz normaler Arbeitstag war und man ein einfaches Essen vorbereiten musste, das man abends schnell servieren konnte. Die alternative Theorie – nennen wir sie «Meine Theorie» – lautet, dass die Deutschen Kartoffelsalat essen, weil sie Kartoffelsalat lieben.

Noch gar nicht erwähnt habe ich den Grinch, wie euch vielleicht aufgefallen ist. Keine Sorge, den gibt's hier auch. Er klaut zwar nicht die Geschenke oder das ganze Fest, aber oft genug die freien Tage. Wenn der erste und der zweite Weihnachtsfeiertag auf ein Wochenende fallen, kriegt man keinen freien Tag extra, sondern muss am Montag wieder arbeiten, als wär's ein stinknormales Wochenende gewesen. So ein Quatsch. Am deutschen Weihnachten ist nichts normal. Wenn du die Leute fragst, würden wahrscheinlich die meisten sagen, es sei die schönste Zeit des Jahres. Dafür gibt es natürlich einen weiteren Grund, über den wir jetzt sprechen müssen – *Weihnachtsmärkte* …

17. WEIHNACHTSMÄRKTE

Der bescheidene Weihnachtsmarkt ist – neben Autos, Laugengebäck und passiv-aggressiven Mitteilungen – einer der erfolgreichsten deutschen Exportartikel. Irgendwie und irgendwann hat Deutschland das weltweite Monopol dafür erworben, frierenden Menschen wärmenden Wein zu verkaufen. Eingeborene pflegen gegenüber dem Weihnachtsmarkt – um ein überstrapaziertes Klischee aufzuwärmen – eine Hassliebe. An einem einzigen Abend dort kannst du die ganze Skala menschlicher Gefühle durchlaufen: von der aufgeregten Vorfreude bis zur großen Enttäuschung, wenn du feststellst, dass die ganze Welt bereits dort ist und in der Schlange vor dir steht, um noch einen Schuss in ihre Feuerzangenbowle zu bekommen. Deine Stimmung hat sich wieder gebessert, wenn du deinen vierten Drink hinter dir hast und sich eine schwankende, zen-artige Einigkeit mit der Welt in dir ausbreitet. Nun ist es völlig in Ordnung, Fremde zu umarmen, Schlager zu singen und einen in Form gebrachten Holzklotz zum vierfachen Preis seines wirklichen Wertes zu kaufen. Für ein subtileres Verständnis dessen, wie du dich während dieses bedeutenden festlichen Rituals verhalten solltest, verweise ich auf die folgende Infografik. Studiere sie genau. Bei diesem Schritt darfst du keinen Fehler machen.

DIE DEUTSCHE WEIHNACHTSMARKT-ERFAHRUNG

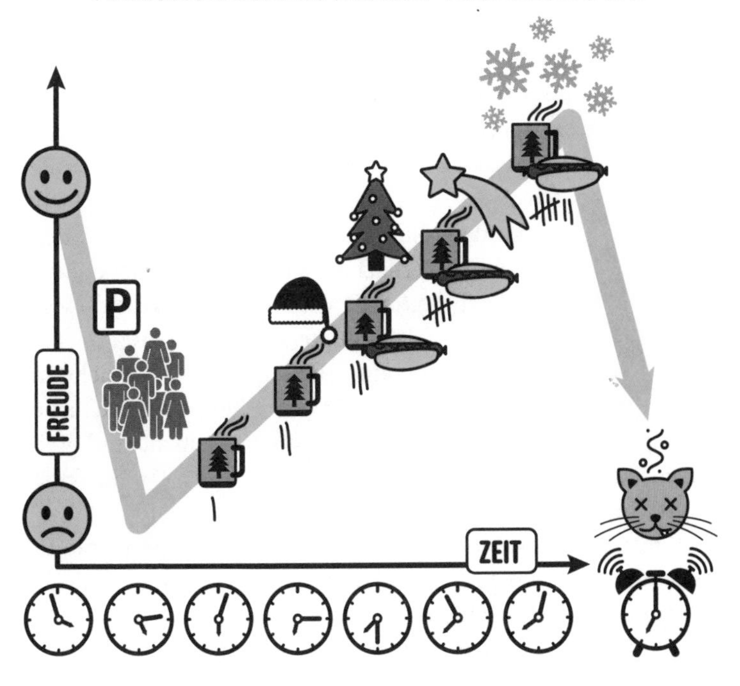

18. DIE PÄDAGOGISCHE ÜBERLEGENHEIT VON HOLZ RESPEKTIEREN

Meine erste Nichte Isabel ist gerade zur Welt gekommen. Ich bin sehr aufgeregt. Annett und ich fahren eine Dreiviertelstunde quer durch Berlin zu einem riesigen Spezialgeschäft für Kindersachen, das Annett aufgespürt hat (weil Spezialisierung ja über Generalisierung geht). Es ist einer dieser furchtbaren Megamärkte, die sich vor allem über ihre Größe definieren und Namen wie *Kinder-Wunder-Oasen-Paradies-Land 24 Xtra* tragen. Es gibt achtzehn Regale nur für Handpuppen. Nachdem ich mir bloß ein paar Prozent des Angebots angeschaut habe, entscheide ich mich für das singende und tanzende KINDER ACTIVITY CENTER 3000. Es ist riesengroß und schwer, und ich hinke unbeholfen damit zur Kasse. Ich werde ein ganz toller Onkel sein.

Annett hält mich auf, als ich gerade an dem Gang «Sieh mal, alles aus Holz» vorbeikomme. «Was ist das denn, eine russische Raumstation?» Sie beäugt das Kinder Activity Center 3000 misstrauisch. Ich erkläre ihr rasch die vielen Funktionen: «Licht, Musik, und hier an dem Gummiband hängt ein kleines Büchlein mit verschiedenen Oberflächen zum Greifen auf jeder Seite. Das Ding hat echt Suchtfaktor, Crack für Kinder, würde ich sagen.» Sie drückt auf einen der Knöpfe – Musik erklingt, Lichter blinken der Reihe nach auf, eine Hupe quäkt. Sie verzieht angewidert das Gesicht. «Das ist Plastik. Billiges, schreckliches Plastik. Wieso kaufst du ihr nicht so was?», fragt sie und greift nach einfachen Bauklötzen. Sie tippt theatralisch darauf. «Holz, siehst du?»

Keine Musik, keine aufblinkenden Lichter, keine Hupe. Ich sehe, doch ich bin ganz und gar nicht beeindruckt. «Aber das Zeug macht doch gar nichts!»

«Einfache Bauklötze fördern die Kreativität und praktische

Fähigkeiten. Möchtest du nicht, dass deine Nichte mal Architektin oder Ingenieurin wird, wenn sie groß ist?»

«Doch, natürlich, aber dabei hilft ihr doch gerade dieses Kinder Activity Center 3000. Das ist viel anregender für ihr kleines, wenn auch zweifellos schon geniales Gehirn.»

Annett atmet hörbar aus. «Nein, mit solchem Schrott wird sie später sicher bloß so einen Job haben wie … na ja … wie du.»

Ich stelle das Kinder Activity Center 3000 ab, weil ich annehme, dass ich beide Hände brauchen werde, um sie zu erwürgen. «Was soll das heißen, einen Job wie ich?! Was bitte schön ist mit meinem Job nicht in Ordnung?!»

Annett dreht sich um und stapelt die Vorführklötzchen aufeinander; ich vermute, es soll eine Brücke werden. Sie senkt ihre Stimme. «Na ja, es *ist* eigentlich gar keiner, oder? Es ist eher ein außer Kontrolle geratenes Hobby.»

«–»

«Du kennst doch diese Typen, die an Ampeln stehen und jonglieren, oder?»

«–»

«So einer bist du eigentlich, plus ein paar Witze.»

«–»

«Willst du etwa, dass deine Nichte auch so wird? Oder willst du, dass sie Brücken baut und Mittel gegen Krebs findet?»

«Aber … ich …»

Tapp, tapp.

«Von einem Baum, siehst du?»

19. DIE ZUKUNFT MIT BLEI VORHERSAGEN

Da Weihnachten nun abgehakt und der pädagogische Mehrwert von Holz eindeutig nachgewiesen ist, rutschen wir weiter in Richtung Neujahr und streifen dabei eine interessante Silvestertradition namens *Bleigießen*. Du bist es vielleicht gewohnt, deine Chancen auf zukünftigen Erfolg an den historischen Daten deiner Vergangenheit festzumachen. Wenn du bis zum Alter von fünfundvierzig Jahren nicht reich oder berühmt geworden bist, könntest du zu der statistischen Schlussfolgerung kommen, dass es wahrscheinlich auch im folgenden Kalenderjahr nicht dazu kommen wird.

Hör auf damit.

Du hast ja keine Ahnung, was im nächsten Jahr passieren wird. Absolut keinen Schimmer. Gib's auf. Es hat keinen Zweck. Deine neuen Landsleute wissen das schon, darum versuchen sie es auch gar nicht mehr. Stattdessen haben sie, vom Sekt angeheitert, eine neue und viel genauere Methode entdeckt, eine Art wahrsagendes Metall, das ihnen einen Blick in die Zukunft erlaubt: *Blei.* Beim Silvesterritual des Bleigießens werden kleine Portionen Blei geschmolzen und in kaltes Wasser gegossen, woraufhin die entstehenden Formen (sehr frei) interpretiert werden, um so die Aussichten für das neue Jahr vorherzusagen. Ich will nicht näher darauf eingehen, wieso genau Blei die Zukunft vorhersagen kann. Ich vermute, klügere Geister haben bereits streng wissenschaftlich fundierte Untersuchungen dazu angestellt. Wir können uns also ganz darauf konzentrieren, wie man sich bei dieser wichtigen Zeremonie verhält. Du solltest das Bleigießen wie folgt erleben:

9 ~~50~~ SHAPES OF GREY

Eiffel Tower
at night

*Du wirst nach
Paris reisen*

The
Sistine Chapel

*Ewiges
Heil*

Camel
wedding

*Eine neue
Liebe*

The International
Space Station

*Eine Reise ins
Ungewisse*

Elephants having
a picnic

*Eine neue
Freundschaft*

In-bloom
apple orchard

Glück

Mahatma
Gandhi

*Weisheit und
hohes Alter*

The complete works
of Shakespeare

*Erwartung
einer Erbschaft*

A lump

Tod

1. Aufregung – zu Beginn des Rituals, wenn man dir Schmelzlöffel und Blei reicht.

2. Enttäuschung – wenn du das Blei aus dem Wasser fischst und es keine erkennbare Form hat.

3. Willentliches Aussetzen des Unglaubens – wenn du deine Unform mit der mitgelieferten Liste erwartbarer Formen abgleichst:
«Das ist ein, hmmm, eine Art Klumpen? Steht Klumpen auf der Liste?»

«Nein», lautet die Antwort.

«Stein?» «Nein.» «Felsbrocken?» «Nein.» «Batzen?» «Nein.» «Fußball?» «Nein.» «Kopf?» «Nein.»

«Ich finde, irgendwie sieht es auch wie ein Fisch aus, oder? Ein Fischkopf vielleicht? Steht Fisch drauf?»

«Ja. ‹Kaum Erfolg zu erwarten›.»

«Naja, wie ein Fisch sieht es eigentlich doch nicht aus …»

An diesem Punkt solltest du dir die Liste nehmen, alle Vorhersagen durchlesen und dann der erwünschten deine Un-form anpassen.

«Ah! Jetzt sehe ich es. Total offensichtlich! Es ist ein Fuchs. Seht mal, da ist das Gesicht. Und der buschige Schwanz. Und das bedeutet, ich werde ‹sowohl Glück haben als auch gerissen sein›. Fantastisch.»

20. ANGST VOR SCHIMMEL HABEN

Jeder Mensch hat mindestens eine irrationale Phobie. Manche haben Höhenangst (Acrophobie), andere fürchten sich womöglich vor Clowns (Coulrophobie) oder Spinnen (Arachnophobie) oder Investmentbankern (Lügenphobie). Für Deutsche – und damit auch für dich – ist es die Schimmelangst (Wohnungsmycophobie).

Schimmel hat auf sie in etwa die gleiche Wirkung wie Kryptonit auf Superman, er beraubt sie also augenblicklich ihrer ehrfurchtgebietenden Superkräfte, die da wären: philosophisches Denken, praktisches Geschick, Rationalität. Sie drehen durch und bekommen Schnappatmung, während in ihrem Kopf Szenarien von Milzbrand und Massensterben ablaufen. Es ist äußerst eigenartig, das mitzuerleben.

Neulich suchten deutsche Freunde von mir eine neue Wohnung. Ich fragte sie, was ihre Mindestanforderungen seien: Balkon? Zentrale Lage? Dachgeschoss? Altbau? «Badezimmer mit Fenster», lautete die Antwort. Bei allem anderen waren sie kompromissbereit. Ein anderer Freund zeigte mir seinen Mietvertrag, in dem explizit geregelt ist, wie lange und wie oft die Wohnung bei vollständig geöffneten Fenstern gelüftet werden muss, sogar im Winter.

Deutsche glauben also, von Schimmel umgehend krank zu werden, und die gleiche finstere Macht schreiben sie auch Zugluft zu. Darin liegt eine gewisse Ironie, weil beim Lüften natürlich immer Zug herrscht. Zugluft ist der Feind des Schimmels, wenn man also vor beidem Angst hat, ist das ungefähr so, als fürchte man sowohl die luftige Höhe als auch die Bodenlage. Doch man wird es dir nicht danken, lieber foreigner, wenn du auf diesen Widerspruch hinweist. Ängste sind ohnehin selten rational – außer der vor Investmentbankern. Also lass den Deutschen diese eine und tu so, als würdest auch du durchdrehen, wenn du grüne Flecken an deinen Wänden oder in deinen Essensresten entdeckst.

21. KÖNIG BARGELD

Die Scheu der Deutschen vor Plastik endet nicht beim Spielzeug. Sie betrifft auch die Plastikkarten in ihren Brieftaschen. Wie du wahrscheinlich schon bemerkt hast, regiert hier das Bargeld, und sein Thron ist aus zerknitterten Scheinen und schmuddeligen Metallmünzen gebaut. Trotz allen Absichtserklärungen ist auch nicht so bald damit zu rechnen, dass König Bargeld von einer Kreditkartenrevolution gestürzt und enthauptet wird.

Die Angst vor diesen Karten und ihren Daten sitzt hier so tief, dass 80% der alltäglichen Geldgeschäfte in bar abgewickelt werden. Das hat natürlich ein bisschen mit Deutschlands ein-

zigartiger Geschichte zu tun. Der Staat hat in der Vergangenheit herausragende Fähigkeiten in Bürgerkontrolle bewiesen. Wenn man allerdings in der einen Hosentasche Kleingeld, in der anderen ein Smartphone stecken hat, ist es relativ sinnlos, sich Sorgen wegen Überwachung zu machen: Das Smartphone ist das vollkommenste Überwachungsgerät, das je ersonnen wurde. Es ist Stasi, Tagebuch, bester Freund und tragbarer Lügendetektor in einem. Es muss also noch etwas anderes dahinter stecken, richtig?

Ich habe deutsche Freunde nach der landestypischen Bargeldbesessenheit befragt, und sie haben mir verraten, dass es nicht nur darum geht, sich nicht überwachen zu lassen, sondern auch darum, *sich selbst zu überwachen*. Einer von ihnen formulierte es so: «Ich möchte jede Ausgabe spüren. Bei Kreditkarten ist es irgendwie bloß Spielgeld, verstehst du? Es tut nicht weh, weil es nicht echt ist. Wenn ich für einen Espresso und einen Bagel 6 Euro 20 bezahle, dann soll es wehtun, das Geld wegzugeben.» Da haben wir also die Antwort. Es geht nicht um Fremd-, sondern um Selbstkontrolle – und um fiskalischen Masochismus.

22. AUSGEBEN IST SILBER, SPAREN IST GOLD

Die Karten in der Brieftasche zu lassen ist nur der erste Schritt auf dem schmalen, ehrbaren Pfad zum *Geiz*. Der zweite Schritt ist, soweit es geht, gar nichts mehr auszugeben! Du hörst ganz richtig – hierzulande ist Sparsamkeit (wie es eigentlich überall sein sollte) sexy, oder wie ein berühmt-berüchtigter Werbespruch sagte: *Geiz ist geil.* Hier ehren wir den Cent, damit wir des Euro wert sind. Natürlich lassen wir den gesparten Euro nicht unbeobachtet – wir behalten ihn mit Hilfe einer selbst angelegten farbkodierten Excel-Finanztabelle im Auge, die täglich aktualisiert wird. Denn man ehrt Euro und Cent am besten, indem man sie lückenlos überwacht.

Das Gebot der Sparsamkeit gilt aber nicht nur außerhalb der eigenen vier Wände – auch daheim gibt es viel zu tun bzw. zu sparen. Warum zum Beispiel lässt du immer noch das Licht an, wenn du ein Zimmer verlässt? Mir doch egal, dass du nur kurz aufs Klo gehst. Amateurknauser! Deine Heizung ist auf fünf aufgedreht? Hast du zu viel Geld? Lass die Heizkörper im Winter stetig auf niedriger Stufe laufen, so etwa auf zwei. Nicht alles oder nichts. Das ist kein bisschen energieeffizient. Und hast du eben die Tür aufgelassen? Meinst du, die Wärme bleibt von allein hier drin und klammert sich an die Wände, als ginge es um ihr Leben? Natürlich nicht – sie saust nach draußen. Tür zu! Sofort! Du hast noch viel zu lernen.

Es kommt einem allerdings so vor, als würde jeder Deutsche diese Spartipps ganz von selbst kennen – so wie Wasserschildkröten von Geburt an schwimmen können. Das rührt wohl daher, dass jedem von Kindesbeinen an eingebläut wird, dass man sich nur für zwei Dinge in Schulden stürzen darf – den Kauf eines Hauses oder eines Autos. Für alles andere spart man zuerst, dann kauft man. Beängstigender als Schulden ist eigentlich nur Schimmel (Schimmelpilzvergiftung hat angeblich eine Sterblichkeitsrate von 97% – zufällig glauben die Deutschen, dass Kreditkartengesellschaften genau so viel Zinsen berechnen).

23. BLIND SEIN FÜR AUTO- UND ZEITVERSCHWENDUNG

Die heilige deutsche Kunst der Sparsamkeit oder gar des Geizes ist zwar bewundernswert hoch entwickelt, doch ich habe hier und da Schwachstellen entdeckt. Luft nach oben, wenn man so will. Das Problem ist: Meist konzentrieren die Deutschen sich so sehr aufs Geldsparen, dass sie andere, indirekte Kosten dabei vernachlässigen – vor allem Zeit und Benzin. Es darf dich nicht überraschen, wenn deine deutschen Freunde die wöchentlichen

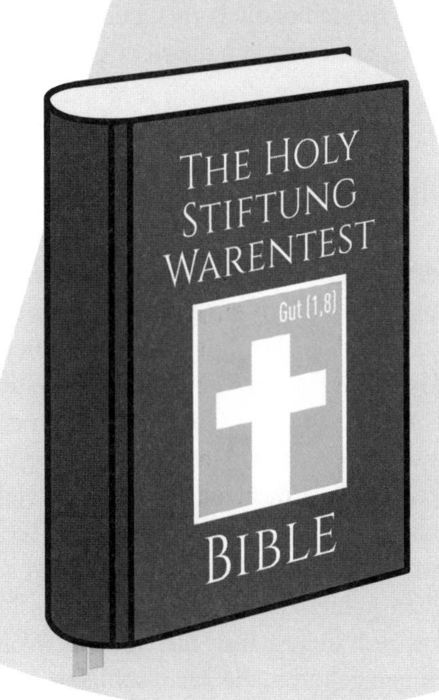
THE HOLY
STIFTUNG
WARENTEST
Gut (1,8)
BIBLE

Werbebroschüren der Supermärkte gründlich studieren, um herauszufinden, wer in dieser Woche die besten Sonderangebote für Quark oder Gemüse hat. Begeistert von dem fantastischen Schnäppchenpreis, den sie bei einem Lidl-Markt jottwehdeh entdeckt haben, springen sie ins Auto und fahren zehn Kilometer extra, um 25 Cent das Kilo bei Schnäppchentomaten zu sparen – und vergessen völlig, dass sie dabei viel mehr an Zeit, Benzin und Nerven verlieren.

Ähnliche Missgeschicke unterlaufen den Deutschen bei Online-Recherchen. Sie können einen ganzen Abend damit verplempern, dass sie unterschiedliche Spar-Blogs und -Foren konsultieren, ausgefeilte Vergleichsportale der Stiftung Warentest in Anspruch nehmen und jede einzelne Amazon-Rezension durcharbeiten, bevor sie sich endlich entscheiden können, dass diese Haarbürste für 7 Euro wirklich die richtige für sie ist.

24. MIETEN, NICHT KAUFEN

Ich persönlich finde das Tollste überhaupt am Leben in Deutschland, verglichen mit Großbritannien, dass es hier einen starken Mieterschutz gibt. Deutschland macht das richtig. Hier versteht man, dass Häuser nicht bloß steinerne Pyramidensysteme sind, in denen man den jüngeren Generationen, die unten einziehen, immer mehr Geld aus den Taschen zieht. Häuser sind hier nicht bloß Geldautomaten für ihre Besitzer. Ich weiß, in vielen Ländern gilt es als wichtiges Grundrecht, sein eigenes Heim zu besitzen. Das ist verständlich und oft auch notwendig, weil es in diesen Ländern eben keinen zureichenden Mieterschutz gibt. Dies erklärt auch, warum hierzulande nur 42% der Wohnungen und Häuser denjenigen gehören, die darin schlafen, während es in den USA 65% sind, in Großbritannien 69% und in Spanien und Irland stolze 80%. Ohne Mieterschutzbestimmungen kann man nämlich mit ein paar Wochen Frist aus seinem Zuhause geworfen werden, oder die Miete verdoppelt sich über Nacht. Wenn solche Regelungen aber in Kraft sind, warum sollte man dann ein Haus kaufen? Es ist schließlich eine sehr langfristige finanzielle Verpflichtung. Und man ist für die gesamte Wartung selbst zuständig. Heizkessel fliegt in die Luft? Dein Problem. Dach bricht ein? Dein Problem. Schimmel? Daran wollen wir lieber gar nicht erst denken.

Das Tolle ist, mein lieber Einwanderer, dass du auch gar nicht daran denken *musst*. In diesem Land ist es völlig normal, als Mieter zu sterben. Und da es so etwas wie Mietpreisbindungen gibt, ist es auch viel weniger wahrscheinlich, dass man in einen Teufelskreis gerät, in dem man 70% seines Einkommens einem Vermieter in den Rachen wirft und daher kein Geld für ein Eigenheim sparen kann. Dieser Vermieter hat im Übrigen vermutlich wenig dafür getan, deine Miete zu verdienen – er hat bloß lange genug gelebt, um von seinen Eltern ein Haus oder das Geld dafür zu erben.

War es nicht Karl Marx, ein weiser, bärtiger Deutscher, der den Ausspruch «Eigentum ist Diebstahl» unter die Leute gebracht hat? Wenn wir das konsequent zu Ende denken, dann können wir lediglich darauf hoffen, den Dieb zu zivilisieren. Wir können nur vertraglich festlegen, wie oft er vorbeikommen und uns ausrauben, wie viel er jedes Mal mitnehmen darf und wie weit im Voraus er uns davon in Kenntnis setzen muss, damit wir schnell die Silberlöffel verstecken können. So macht es Deutschland. Wenn der Mieter einmal eingezogen ist, viel Glück bei dem Versuch, ihn wieder rauszubekommen. Das deutsche Recht favorisiert die schwächere Partei. Wenn der Vermieter keinen Eigenbedarf für die Wohnung nachweisen kann, Pech für ihn. Der Mieter braucht sie dringender. Sie ist schließlich keine Geldanlage – sondern ein Zuhause.

Danke, Deutschland.

PS: Bitte lass das alles so, wie es ist.

25. EINSCHULUNG UND ZUCKERTÜTE

Als du hier angekommen bist, ist dir wahrscheinlich aufgefallen, dass du im Vergleich zu deinen neuen Freunden hoffnungslos unterqualifiziert bist. Tut mir leid. Dieses Land hat einen Universitätsabschluss in Bildung, mit Spezialisierung als Nebenfach. Aber noch ist es nicht zu spät. Wenn du immer noch willens bist, können wir gemeinsam wieder die Schule besuchen, ja? Toll! Da Bildung in der deutschen Gesellschaft einen so hohen Stellenwert besitzt, kann es kaum überraschen, dass unser erster Schultag – die *Einschulung* – so ein Riesenereignis ist. So wichtig, dass er sogar ein eigenes Substantiv bekommt. Was sagst du dahinten? Dass die Schwelle für eigene Substantive im Deutschen nicht besonders hoch ist? Dass das Deutsche seine Substantive ziemlich liederlich verschleudert? *Ssschht.* Ich versuche hier zu unterrichten.

Also, die Einschulung wird oft und gern auf einen Samstag gelegt, damit alle dabei sein können – Eltern, Großeltern, Cousins und Cousinen, einfach alle. In der Schule werden wir vom stolzen *Schuldirektor* begrüßt, der uns *Schulanfänger* oder *ABC-Schützen* bei einer besonderen *Einschulungszeremonie* willkommen heißt (na, das waren doch noch ein paar herrlich spezielle deutsche Substantive – gern geschehen!). Zappel nicht herum, foreigner. Die meisten Schulanfänger können dieses Ritual entspannt über sich ergehen lassen, weil sie wissen, was folgt – der Höhepunkt der ganzen Veranstaltung: Wir kriegen unsere Zuckertüte!

Zuckertüten – oder Schultüten – sind riesengroße Pappkegel voller Geschenke. Sie sollen uns davon ablenken, dass die Gesellschaft uns jetzt für alt genug zum Lernen hält. Wir können nicht mehr bloß mit unseren Freunden im Sandkasten herumalbern. Unsere schönste Zeit ist ein für allemal vorbei.

Als Ausländer ist es eine bittersüße Erfahrung, von der Zuckertüte zu hören. Süß, dass es so etwas gibt – bitter, dass man selbst nie eine bekommen hat. Ich finde, Zuckertüten sollten reichlich und häufig verteilt werden – Montage, Zahnarztbesuche, Krankenkassenbeitragserhöhungen und andere langweilige Erwachsenenereignisse würden durch solche Süßigkeitenbestechung enorm erleichtert. Natürlich werden die Puritaner einwenden, dass es die besondere deutsche Tradition verwässern würde, wenn man plötzlich immer und überall Zuckertüten austeilte. Ich möchte dagegen halten, dass man eine Tradition erst dann als solche erkennt, wenn andere Menschen einem weismachen wollen, dass sie durch Kommerzialisierung ruiniert wird.

Offenbar ist es bei der armen Zuckertüte schon so weit, wie mir Freunde mit Kindern berichten. Anstatt die Tüte mit bescheidenen, pädagogisch wertvollen Gaben zu füllen (am besten aus Holz), ist der Brauch zu einer Art Penisvergleich unter Erwachsenen verkommen, wo man sich mit iPads und Smartphones und anderen glitzernden Verdummungsobjekten zu überbieten sucht. Denkt denn niemand mehr an die Kinder? Wo sind die Kinder überhaupt? Wahrscheinlich lernen sie. Das ist schließlich jetzt ihr Job. Genau wie deiner.

26. DIE VOLKSHOCHSCHULE

Deine deutsche Bildungspflicht beginnt mit der Einschulung, und sie endet mit der wunderbaren Volkshochschule (VHS). So wie Muslime nach Mekka, Juden nach Jerusalem und Briten in den Pub pilgern müssen, sind Deutsche angehalten, regelmäßig einen Hadsch zur örtlichen VHS zu unternehmen. Ein Kurs pro Jahr sollte das Minimum sein. Volkshochschulen sind faszinierende Orte. Auf den ersten Blick sind sie einfach nur von der öffentlichen Hand geförderte Zentren für Erwachsenenbildung. Doch in Wirklichkeit sind sie so viel mehr: Sie sind Schmelztiegel, wo sämtliche Schichten und Nationalitäten dieses Landes und seine unterschiedlichen Geistesgrößen zusammenkommen.

Du weißt nicht, wo die nächste VHS ist? Da kann ich dir helfen. Es ist das nächste sehr große, triste Betongebäude, das direkt an einer viel befahrenen sechsspurigen Straße liegt. Du weißt nicht, was du lernen sollst? Kein Problem – schnapp dir einfach den dicken Kurskatalog, der am Eingang ausliegt. Diesen Katalog durchzublättern – was du regelmäßig tun solltest – kommt einer Erkundung des eigentlich Unmöglichen gleich: *Dieses Thema kann doch unmöglich irgendwen interessieren! Wie kann es sein, dass man so lange dafür lernen muss? Das kann doch unmöglich so wenig kosten!* Wundere dich nicht, wenn du einen Kurs über korrekte Körperhaltung entdeckst, der 48 Wochen dauert, aber nur 51 Euro kostet.

Wenn du dich angemeldet hast, lernst du beim ersten Termin deine Mitschüler kennen. Da sind die Deutschen, die immer ein paar Minuten zu früh kommen, immer auf demselben Platz sitzen und mehr Textmarker mitbringen, als der Kurs Teilnehmer hat. Andere hingegen, oft so flatterhafte foreigners wie du und ich, kommen zu spät hereingeschlendert und entschuldigen sich lächelnd, um zu überspielen, dass wir mal wieder die Hausaufgaben vergessen haben. Im Unterricht ist es dann ebenso interessant, den Lehrer oder die Lehrerin zu beobachten wie die anderen Teilnehmer. Die Kursleiter sind entweder hervorragend oder schrecklich. Eins von beiden, nichts dazwischen. Das ist das VHS-Lehrer-Roulette.

Natürlich ist es leicht, sich über die VHS lustig zu machen – sie abzuschreiben als Ort, wo die Zeit stehen geblieben ist, als ein Bermudadreieck des Wissens, wo man erst den Staub vom Stuhl wischen muss, ehe man sich setzt, und wo sie einem, wenn man nach einem Beamer fragt, ratlos den Overhead-Projektor zeigen –, aber ich finde tatsächlich, dass sie eines der besten Dinge ist, die dieses Land zu bieten hat. Bezahlbare Bildung für alle. Die Beliebtheit der VHS ist ein Beleg für den Stellenwert, den Bildung hier besitzt. Man geht hin, um Wissen zu erwerben. Und man erhält Wissen. Nicht mehr, nicht weniger. Komfort? Spaß? Stühle mit vier Beinen? Einen Lehrer, der deinen Namen behält? Nein. *Nur Wissen*. Reicht das nicht? Doch, mein little foreigner. Das reicht. Also, worauf wartest du noch? Korrekte Körperhaltung fängt am Dienstag an. Wir sehen uns dort.

27. SCHIEB ES AUFS WETTER

Dir ist vielleicht schon aufgefallen, dass die Sache mit dem Sündenbock ziemlich anstrengend sein kann. Man muss den Ziegenbock erst finden, dann einen Berg hinauftreiben und schließlich hinunterstoßen. Mit einiger Wahrscheinlichkeit wird er im Fallen vor Schmerz und Angst die ganze Zeit laut und nervtötend meckern. Und vielleicht hast du hinterher sogar ein schlechtes Gewissen, wenn du so ein Weichei bist, dem sinnlose Grausamkeit gegenüber Tieren zu schaffen macht. Darum ist es kein Wunder, dass die moderne Welt zwar die Grundidee des Sündenbocks beibehalten hat – all unsere Klagen zu sammeln und auf ein unschuldiges Symbol zu projizieren –, aber auf das mühsame Vom-Berg-Werfen verzichtet.

Damit bleibt natürlich immer noch die Frage, wen man für seine ganzen Beschwernisse verantwortlich machen soll. *Eltern? Ehegatten? Kinder? Schwiegermütter? Angela Merkel? Ausländer? Formwechselnde Eidechsen in Menschengestalt?* Man muss gar nicht paranoid sein, um zu erkennen, dass alle hinter einem her sind. Doch es gibt gute Nachrichten, Ex-Bürger eines anderen Landes! Die Deutschen haben den Sündenbock-Prozess optimiert. Sie haben das perfekte Opfer identifiziert – ein Opfer, das sich nicht verteidigen kann, das überall zu finden ist, das jeden gleichermaßen betrifft und das sich sogar selbst den Berg hinauftreibt. Ich rede natürlich vom Wetter*. Es gibt fast kein Leiden, keinen Ärger, den meine deutschen Freunde nicht auf diesen wechselhaften atmosphärischen Schurken abzuwälzen versuchen. Sie bleiben zwar meist vage, wenn es darum geht, warum genau das Wetter dafür verantwortlich ist, dass sie an Kopfschmerzen, Zahnschmerzen, Gliederschmerzen, schlechter Laune, guter Laune, einer laufenden Nase, hartnäckigem Husten, Schläfrigkeit, Schlaflosigkeit, Müdigkeit oder nicht zuletzt an Wahnvorstellungen leiden.

«Ich weiß nicht, mir ist irgendwie nicht gut», sagen sie.

«Und woran liegt das?»

«Weiß ich auch nicht, wahrscheinlich am Wetter.»

«Und woran genau?»

«Na ja, es war doch ziemlich warm/kalt/feucht in letzter Zeit.»

«Na gut», wendest du ein, «aber das Wetter ist da draußen, und wir sind hier drinnen.»

«Aber es kommt doch trotzdem hier herein, du Idiot. Luftdruck und dergleichen.»

«Mm-hm. Okay.» Du willst ja Anteilnahme zeigen, aber zugleich auch nicht verschweigen, was bei dieser Analyse alles unter den Tisch fällt: «Ich dachte nur, es könnte vielleicht auch daran liegen, dass du gestern Abend was getrunken hast, und wenn du trinkst, schläfst du immer schlecht, weshalb du heute müde sein müsstest. Und dann hattest du die wöchentliche Teamsitzung, die du nicht ausstehen kannst, wegen deines Chefs. Außerdem hast du immer wieder Rückenschmerzen, bist aber aus Faulheit noch nicht beim Arzt gewesen, und zu diesem VHS-Kurs *Korrekte Körperhaltung*, den ich für dich rausgesucht habe, bist du auch nicht gegangen. Und noch dazu ist heute Montag. Montags fühlen sich alle irgendwie nicht gut.»

«Neinnein. Ich bin ziemlich sicher, dass es am Wetter liegt.»

* Ich glaube, es erklärt auch, warum die Deutschen solche Angst vor Zugluft haben. Zugluft ist nichts anderes als eine hoch konzentrierte Kamikaze-Wetterattacke.

28. WENN DAS NICHT KLAPPT, GIB DIR SELBST DIE SCHULD

Für den unwahrscheinlichen Fall, dass das Wetter sich vorbildlich verhält und du ihm also nicht die Schuld für alle Enttäuschungen deines Lebens zuschieben kannst, bleibt dir nur *eine* andere Möglichkeit – gib dir selbst die Schuld. Die Deutschen setzen sich furchtbar gern selbst herab. Vielleicht haben sie dir erzählt, dass Fußball ihr Nationalsport sei, aber in Wirklichkeit ist es Bescheidenheit. Wahrscheinlich weil sie schon in einem Alter *Vergangenheitsbewältigung* lernen, in dem andere Kleinkinder gerade mit dem Alphabet anfangen. Ob es um ein kleineres Missgeschick vor fünf Minuten oder einen Fehltritt vor zehn Jahren geht: gäbe es eine Weltmeisterschaft im Selbsthass, hätten die Deutschen ganz bestimmt einen weiteren Pokal in ihrer Trophäensammlung. Sie sind inzwischen so daran gewöhnt, sich selbst die Schuld zu geben, dass sie dabei manchmal den ersten Schritt vergessen – *etwas falsch zu machen*. Dieser Teil ist nur was für Amateure.

Ich jedoch bin in einer Kultur aufgewachsen, in der man ausschließlich alle anderen für die eigenen Probleme verantwortlich macht – vor allem Ausländer. *Ich selbst* bin niemals die Ursache. Und jetzt lebe *ich* mit einer Frau zusammen, die mir ständig vorhält, alle *meine* Fehler seien *meine* eigene Schuld. Was für eine Dreistigkeit. Ich muss nur etwas ganz Unverfängliches anmerken wie: «Ich muss heute dauernd niesen. Vielleicht habe ich eine Erkältung im Anmarsch», und schon kriege ich die Antwort: «Als du vor zwei Tagen zwei Mal geniest hast, habe ich dir gesagt, du sollst dir den *deutschen Zauberschal für sofortiges Wohlbefinden* umlegen. Hast du aber nicht gemacht.»

«Ich bin also selbst schuld?»

«Außerdem hast du letzten Montag den Müll nur im T-Shirt rausgebracht. Also, was meinst du … Könnte natürlich auch am Wetter liegen – in letzter Zeit hat es ziemlich bedrohlich gewettert. Aber wahrscheinlich liegt es doch eher an dir selbst.»

Ja, und heute, mein Freund, ist dein Glückstag. Denn mit deiner neuen Nationalität ist jetzt auch alles deine Schuld. Ich gratuliere. Bist du nicht zufrieden und glücklich damit? Na, dann weißt du ja, wem du die Schuld geben kannst, oder?

29. PESSIMISTISCH BLEIBEN

Claudia Schiffer ist das Gesicht einer PR-Kampagne der Bundesregierung, die für mehr Investitionen in Deutschland sorgen soll. In wunderbarem Werbesprech heißt sie «Deutschland – Land der Ideen». Das internationale Klischee vom langweiligen und unkreativen Deutschland ist zwar total daneben, aber die Rede vom «Land der Ideen» finde ich nun auch ein wenig übertrieben. «Keine Experimente» war nicht nur ein berühmter deutscher Wahlkampfslogan, es beschreibt auch die Weltanschauung vieler Menschen hier. Auch das hat natürlich einiges mit der Geschichte des Landes zu tun und ist daher absolut verständlich. In den letzten hundert Jahren ist Deutschland ständig in irgendeine Katastrophe hineingeschlittert oder benommen aus einer herausgetaumelt und musste alles wieder neu aufbauen. Vom Ersten Weltkrieg über die Weimarer Republik und das Dritte Reich und die Ost-West-Teilung und die Schwierigkeiten der Wiedervereinigung und die europäische Integration mit der gemeinsamen Währung bis hin zur jetzigen Eingliederung von einer Million neuen Mitbürgern – es war wirklich alles nicht leicht.

So viele Veränderungen in gerade mal hundert Jahren müssen natürlich Narben hinterlassen. Am besten erkennt man diese im allgemeinen Pessimismus der heutigen Deutschen. Sie sind die Nation des halb leeren Glases. Der beliebteste und am weitesten verbreitete Ismus ist hier weder der Sozialismus noch der Kommunismus, weder Nationalismus noch Patriotismus, sondern der gute, alte, unerschütterliche Pessimismus. Der Standardtraum? Ein Alptraum. Der Durchschnittsdeutsche sucht, während er auf dem Traumschiff seines Lebens durch die Wellen gleitet, selbst in den heitersten Momenten von Frieden und Wohlstand stets den Horizont nach Eisbergen ab. Sie können nicht anders. Von Einstein stammt die berühmte Definition von Wahnsinn – «immer wieder das Gleiche zu tun und andere Ergebnisse zu erwarten». Demnach wäre der deutsche Wahnsinn, immer wieder das Gleiche zu tun, immer wieder gute Ergebnisse zu erreichen und dennoch zu erwarten, dass beim nächsten Mal alles ganz schrecklich schiefgeht.

30. SCHAULUSTIG SEIN

Es ist eine häufig gemachte Beobachtung, dass Deutsche zum Starren neigen. Das stimmt. Na und. Was ist daran auszusetzen? Interessante Dinge soll man anschauen. Genauso sollte man auch uninteressante Dinge visuell befragen, wieso sie die Dreistigkeit besitzen, nicht interessant zu sein. In manchen seltsamen Ländern gilt es als Akt der Aggression, seinen Mitmenschen direkt in die Augen zu schauen, als unmittelbare Provokation, quasi als Herausforderung zum Duell. Darum schauen die Leute dort nur schüchtern auf den Boden oder auf ihre Handys. Eigentlich müssten *diese* Länder sich rechtfertigen, denn Menschen sind mit Abstand das Unterhaltsamste, was es gibt. Viel anregender als jede App, mit der man Bonbons sortiert, und aufschlussreicher als der neuste Köder-Klick-Artikel über die wundersame Krebs heilende Wirkung von Tabasco.

Wissbegierig, wie die Deutschen sind, ist es nur folgerichtig, dass sie so gern andere Menschen beobachten – besonders, wenn diese einen albernen Hut tragen. Oder wenn sie in der U-Bahn Zeitung lesen und du, sofern du nur angestrengt den Hals verrenkst wie eine Giraffe, zum Mitleser werden kannst. Oder wenn sie in irgendeinen Unfall verwickelt sind. Das Deutsche hat ein großartiges Wort für dieses Bedürfnis: Schaulust. Ein Schaulustiger ist nicht unbedingt unverschämt oder unhöflich, auch wenn es auf den ersten Blick so scheinen mag; er drängt sich auch nicht in die Privatsphäre anderer Menschen. Schaulust ist bloß reine, ungehemmte Neugier. Sicher, du musst dich zunächst ein bisschen daran gewöhnen, aber wenn du erstmal ein paar Wochen angestarrt wurdest und dich abgeurteilt und verlegen gefühlt hast, so als hättest du womöglich heute vergessen, eine Hose anzuziehen, dann bist du überzeugt. Du hebst den Blick vom Boden und starrst zurück, genießt die neue Freiheit und wirst so schaulustig wie alle anderen.

31. IN DER DOKTORARBEIT ABSCHREIBEN

Es gibt da eine Theorie: Wenn man wissen möchte, wie gut ein Land funktioniert, muss man sich nur anschauen, wie langweilig das politische Geschehen dort ist. Daher weiß ich, dass Deutschland ein tolles und funktionstüchtiges Land ist: Die politische Landschaft hier ist ziemlich öde. Das hat auch das Nachrichtenmagazin *Time* eingeräumt, als es Angela Merkel zur Persönlichkeit des Jahres wählte und ihre Politik dennoch als «entschlossen langweilig» beschrieb.

Einem Skandal noch am nächsten kommt das politische Leben in Deutschland, wenn ein Politiker in seiner Doktorarbeit abschreibt. Solche Fälle gab es in den letzten Jahren einige. Die beschämten Politiker werden bloßgestellt, müssen zurücktreten und geben eine peinliche Pressekonferenz, bei der sie ihren Fehltritt einräumen. Für uns ausländische Beobachter entbehrt das nicht einer gewissen Komik. Fragt mal einen Italiener, wie er reagieren würde, wenn er erführe, dass Berlusconi in seiner Doktorarbeit abgeschrieben hat. Es wäre nicht mal eine Pressekonferenz wert, verglichen mit all seinen anderen, knackigeren Verfehlungen. Unsere griechischen Freunde wären froh, wenn ihre Politiker sich mal lange genug nicht prügeln würden, dass sie Zeit für ein bisschen *Copy and Paste* fänden. Englische Politiker *haben* überhaupt keine Doktortitel. Bei den meisten hat es zu wenig mehr als einem B. A. in Dummschwätzerei gereicht. Was würden wir uns freuen, wenn unsere Politiker qualifiziert genug wären, ihre Qualifikationen zu fälschen. Wann immer ich in Deutschland von einem neuen Plagiatsskandal höre, lächele ich zufrieden in dem Wissen, dass alles in Ordnung ist und ich großes Glück habe, in einem so funktionsfähigen (und politisch langweiligen) Land zu leben. Wenn du mehr darüber erfahren willst: Meine Doktorarbeit behandelt das Thema. Habe ich komplett selbst geschrieben, Ehrenwort.

32. POLITIKER ZUR SCHAU STELLEN

Abgesehen von den Plagiaten ist das spaßigste Ereignis in der deutschen Politik die wiederkehrende Gaunergalerie, wie ich sie gern nenne. Die wird vor jeder Wahl im Freien veranstaltet. In dieser besonderen Zeitspanne wird jede Straße neu dekoriert. Pfähle, Laternenmasten, Fenster, eigentlich alles, was lange genug stillhält, wird mit Wahlplakaten zuversichtlicher Kandidaten zugeklebt.

Plötzlich hat die immergleiche langweilige Straße, durch die

GELD FÜR
DIE OMA
statt für
Sinti und
Roma!
NPD
LÜGNER
HABEN LANGE
LEITERN!

MERKEL
IST
DOOF!
Die PARTEI

SPD
DAS WIR
ENTSCHEIDET.
WIR HABEN
DIE KRAFT.
CDU

du jede Woche auf dem Weg zum Kaufland fährst, sich in eine Speed-Dating-Wahlparty verwandelt. Du kannst die sorgfältig mit Photoshop überarbeiteten Verbrecherfotos der Kandidaten für deinen Kiez bewerten. Im Lauf der Wochen werden diese hoffnungsfroh lächelnden Gesichter fast zu Freunden. Natürlich nicht alle. Aber darüber kannst du ganz allein entscheiden. Wer sieht vertrauenswürdig aus? Die Frau mit dem allzu exakt geschnittenen Pony? Der Mann mit dem Überbiss? Die Politiker werden zur Schau gestellt, und du darfst die ganze Parade abgehen und zu erraten versuchen, wer ein guter Kandidat ist – aber auch, noch wichtiger, wer ein heimlicher Transvestit ist oder in seiner Doktorarbeit abgeschrieben hat.

Selbst wenn du von Politik keine Ahnung hast, kannst du schnell eine Menge über das politische Klima erfahren, indem du die Gaunergalerie abschreitest. Achte zunächst darauf, welche Parteien und Personen dem Boden am nächsten hängen. Je höher das Plakat, desto riskanter die Stimme. Ich habe NPD und AfD spät nachts bei der Arbeit beobachtet, wie sie ihre Poster mit einer extra langen Leiter anbringen, denn sie hoffen, wenn diese besonders hoch hängen, werden sie nicht beschmiert oder zerstört. Das sagt dir schon einiges über ihre politischen Standpunkte. Aber wie werden die Plakate beschädigt? Auch das ist relevant. Wird bloß ein bisschen Gesichtsbehaarung nachgelegt? Vielleicht ein Vollbart? Dichtere, dunklere Augenbrauen? Kleinigkeiten. Werden Geschlechtsorgane hinzugefügt? Schon ernster. Ein ganz bestimmter Schnurrbart? Sehr ernst. Plakat ganz abgenommen und auf die Straße geworfen? Sehr umstrittene Partei oder Kandidaten. In anderen Ländern müsstest du vielleicht Sachen lesen, Wahlkampfbroschüren zum Beispiel, oder dir eine Fernsehdebatte anschauen. Hier nicht. Hier erzählen dir die Plakate vor deiner Haustür schon alles, was du wissen musst. Um von deinen deutschen Freunden respektiert zu werden, musst du natürlich nach außen so tun, als hättest du gründlich recherchiert und erst nach reiflicher Überlegung gewählt. In Wahrheit aber läufst du auf der Straße die Gaunergalerie ab und vergibst deine Stimme an die flotteste Frisur.

33. SKANDINAVIEN LIEBEN

Ich weiß nicht, was du aktuell von Skandinavien hältst. Vielleicht findest du es ein bisschen steril? Oder du ärgerst dich darüber, dort 9 Euro für eine Tasse Tee zahlen zu müssen? Oder dass du eine psychologische Prüfung über dich ergehen lassen musst, bevor du eine Flasche Wodka kaufen darfst? Tja, das alles kannst du jetzt vergessen, denn die deutsche Haltung zu Skandinavien ist klar und eindeutig, und damit nun auch deine. Für die Deutschen ist Skandinavien ein karges, zum Wandern

geschaffenes Narnia. Es würde mich nicht wundern, wenn sie glaubten, dass man durch einen Kleiderschrank hingelangt. «S-k-a-n-d-i-n-a-v-i-e-n», flüstern sie ergriffen, «wo alles besser ist.» Dabei tragen sie skandinavische Modemarken, sehen skandinavische Krimiserien, lesen skandinavische Thriller, vergleichen ihr Schulsystem (das dabei nicht gut abschneidet) mit dem skandinavischen, machen Urlaub an seinen Fjorden und schauen in seinen besonders hellen Nachthimmel. Es gibt sogar ein eigenes Wort für diese Haltung – das «Bullerbü-Syndrom». Das klingt zwar wie ein IKEA-Bücherregal für Arztwartezimmer, doch in Wirklichkeit meint es den Glauben an die skandinavische Überlegenheit, dem dieses Land mit der Rigorosität religiöser Eiferer anhängt. Ich habe gehört, dass sogar Angie darunter leidet – dass sie bloß die erfolgreichsten politischen Modelle aus Schweden, Dänemark und Norwegen übernimmt. Darauf würde ich gern näher eingehen, aber nachdem ich im vorigen Schritt eingeräumt habe, mich bei der Stimmabgabe vom Gesicht des Kandidaten leiten zu lassen, überlasse ich die politische Analyse lieber qualifizierteren Kräften. Vielleicht kann ich einen Skandinavier befragen – die müssen es wissen.

34. PATRIOTISMUS ABLEHNEN

Eine der besonders schönen Seiten des Lebens in Deutschland ist, dass Patriotismus im Großen und Ganzen verboten ist. Anstatt stolz auf ihr modernes, erfolgreiches Deutschland zu sein, kultivieren die meisten Deutschen ein gesundes Misstrauen und behandeln den Patriotismus wie einen unerwartet vor der Tür stehenden Handelsvertreter. *«Viertgrößte Wirtschaftsnation der Welt! Eine Million Flüchtlinge aufgenommen! Apfelsaftschorle! Stimmt's oder habe ich Recht? Wir sind die Guten, Leute! Hoch soll'n wir leben! Hier, nehmen Sie eine Flagge.»*

Doch die Deutschen wissen: Wenn etwas zu gut klingt, um wahr zu sein, dann ist es wahrscheinlich auch nicht wahr. Darum öffnen sie nicht einfach so ihre Häuser und ihre Herzen und laden den Patriotismus zu Kaffee und Kuchen ein. Nein. Denn Deutschland ist zwar heute (größtenteils) gut, aber früher war es mal schlecht, und es könnte immer noch besser sein. Es ist ein Projekt, das (wie der BER) niemals fertig wird, und wahrscheinlich steht es (moralisch) knietief im Dispo. Was gibt es da also zu feiern? Und welchen Anteil haben die heutigen Deutschen schon an den früheren Leistungen und Erfolgen ihrer Landsleute gehabt? Sie leben hier nur durch einen Zufall der Geburt oder dank des Luxus der Freizügigkeit, so wie wir anderen auch. Also lassen wir diese überflüssige Lobhudelei.

Es gibt jedoch einen Anlass, bei dem diese ansonsten sehr vernünftige Politik komplett und absolut über Bord geworfen wird. Genau … du hast es erraten … *während der großen Fußballturniere.*

Deutschland hat beschlossen, auf das dünne ganzjährige Rinnsal des Nationalstolzes zu verzichten, das die meisten Länder bevorzugen, und stattdessen sämtliche Selbstliebe aufzustauen und alle zwei Jahre in einer kurzen, heftigen Springflut herauszulassen. Dann verfällt die ganze Nation in ein kollektives patriotisches Fieber – die *Nationalmannschaftspatriotismuskrankheit*. Der Kontrast ist gewaltig. Eben noch sah man keine einzige Deutschlandflagge, plötzlich erblickt man sie an fast jedem Auto, an Balkongeländern, auf menschliche Wangen geschmiert. Plötzlich schreien einem angetrunkene Wildfremde «Schlaaaaaaaaaaand» ins Gesicht, als wäre das völlig normal oder ein richtiges Wort.

Und dann hört es wieder auf. Meistens gewinnt Deutschland. Damit sollte niemand herumprahlen. Wir hier haben schließlich nichts damit zu tun gehabt. Wir haben das Siegtor nicht geschossen. Wir haben uns nur betrunken und Lieder gesungen. Das Fieber vergeht so schnell, wie es gekommen ist. So als wäre das Land ein Alkoholiker, der nach einer ausgedehnten Sauftour erwacht und herauszufinden versucht, wo er sich befindet und was er angestellt hat. Der angewidert an seinen besudelten Kleidern hinabschaut. Wo sind wir hier? Wie viel haben wir ausgegeben? Wir haben *was* gesagt? *«Schland?»* Das ist doch nicht mal ein richtiges Wort. Gesichter werden gewaschen, Flaggen eingeholt. Die Menschen kehren an ihre Arbeitsplätze zurück. Öffentliche Bekundungen von Patriotismus sind wieder verboten. Das Leben kehrt in seine normalen Bahnen zurück … bis zum nächsten Turnier in zwei Jahren und dem nächsten Ausbruch der Nationalmannschaftspatriotismuskrankheit: *«SCHLAND! SCHLAND! SCHLAAAAAAAAAAAAAAND!»*

35. DIE EXISTENZ BIELEFELDS BEZWEIFELN

Vielleicht hast du schon einmal den Ausdruck «Papawitz» gehört? Das ist ein nicht besonders lustiger Witz, den du schon ungefähr tausend Mal gehört hast, aber, na ja, dein Vater erzählt ihn eben so gerne, und daher kicherst du fröhlich, um ihn glücklich zu machen. Nicht so ausgelassen, dass du ihn zu noch mehr ermunterst, nur gerade so laut, dass er nicht entmutigt wird. Er meint es ja gut, Gott segne ihn. Die deutsche Nation hat so einen kollektiven Papawitz. Ich weiß nicht genau, seit wann er nicht mehr witzig ist – vielleicht seit einem Jahrzehnt, vielleicht schon länger –, aber das ist auch nicht so wichtig. Er gehört jetzt einfach zum Kollektivbewusstsein. Eine Art Ritual. Und von dir wird erwartet, dass du mitspielst – das ist sozusagen eine Mitbürgerpflicht. Okay? Bereit? Hier ist er … Sobald jemand den Namen der Stadt Bielefeld erwähnt, musst du entgegnen: «Bielefeld? Aber gibt es das denn wirklich?»

Dein Gegenüber wird kichern. Du wirst kichern. Alles wird gut und richtig sein auf der Welt. Das Universum wird im

Gleichgewicht bleiben. Bielefeld wird … ach, das ist eigentlich auch egal. Es existiert ja schließlich gar nicht.

36. DIE BAHN-SCHLACHT

Irritiert dich die regelsatte deutsche Gesellschaft gelegentlich, mein little foreigner? Spürst du auch den Drang, diese ganze Pingeligkeit, diese repressive Erbsenzählerei und diese übersteigerte Ordnungserwartung abzuschütteln? Sehnst du dich danach, all deine Zertifikate zu zerreißen, am Sonntag den Staubsauger anzuwerfen oder dich wie ein Kamikaze auf die Straße zu stürzen, obwohl das kleinliche Ampelmännchen es dir verbietet? Wenn du den Film *Die Säuberung* mit Ethan Hawke und Lena Headey gesehen hast, dann kennst du das grundlegende Konzept: In einer festgelegten Nacht des Jahres gibt es keine Regeln. Alles ist erlaubt, nichts ist verboten, und theoretisch kann sich auf diese Weise eine Massen-Katharsis ereignen. Der Chef lässt dich ständig Überstunden machen? Besuch ihn während der *Säuberung* und zünde ihm das Haus an. Jetzt kann er selbst spüren, was es heißt, im Büro leben zu müssen. *Woahahahaha. Gehässiges Gelächter. Katze streicheln. Irres Grinsen.*

Vielleicht ist dir noch nicht aufgefallen, dass die frustrierten kreativen Bürger dieses Landes sich auf eine kleine *Mini-Säuberung* geeinigt haben. Auf einen gesellschaftlichen Bereich, in dem keine Regeln des Anstands und Geschmacks gelten, wo man die Handschuhe abstreifen, Höflichkeit und Etikette weit hinter sich lassen kann und wo jeder Mann, jede Frau, jedes Kind, jedes Haustier und jedes Gepäckstück allein auf sich gestellt sind.

Den betrittst du, wenn du einen Zug besteigst. Hier beginnt *Die Bahn-Schlacht.*

Wer Deutschland für eine zivilisierte Nation hält, hat die

Deutschen offensichtlich noch nie in die Bahn steigen sehen. Dabei verwandeln sie sich von netten, Gott grüßenden, Solidaritätszuschlag zahlenden, «Mahlzeit» wünschenden Menschen zu Gladiatoren des öffentlichen Verkehrswesens, die um ihr Leben kämpfen – oder, wahrscheinlicher, um den vorreservierten Kolosseumsplatz im Wagen 14, Ruhebereich.

Die *Bahn-Schlacht* beginnt, sobald der Zug einfährt. Eigentlich sollte man die Leute zuerst aussteigen lassen, doch keine Regel schreibt vor, wie viel Platz man ihnen dabei lassen muss. Quetsch dich ran – zwanzig Zentimeter sollten doch reichlich langen, oder? Lass die Aussteiger Spießruten laufen durch die enge Gasse, die du mit deinen Mitwartenden bildest, und verteil dabei abwechselnd böse Blicke und Rempler mit der Schulter. Ist der Weg jetzt frei? Nein? Ein oder zwei Leute steigen immer noch aus? Egal! Wir pfeifen drauf! Los, los, los! Es ist jetzt absolut akzeptabel, Schultern, Ellbogen und Zähne zu gebrauchen, um zu zerren, zu drängen, zu kneifen, zu schlagen oder andere Passagiere beiseite zu schubsen. Dein Ehemann seit zwanzig Jahren? Dein einziges Kind? Pah! Lass die auf dem Bahnsteig für sich selbst kämpfen – jetzt ist keine Zeit für Familie. Ist das eine schwangere Frau? Nein, nicht während der Bahn-Schlacht. In diesem Moment ist sie bloß ein ausladendes Hindernis zwischen dir und deinem Platz in Fahrtrichtung.

Jetzt bist du in den Wagen vorgedrungen. Leider ist es dort sehr voll. Einen Augenblick mal, ist das ein freier Vierertisch?! *Der Heilige Gral.* Setz dich in Bewegung! Aus der Gegenrichtung nähert sich ein Junggesellinnenabschied, alle mit den gleichen rosa «Game-Over»-T-Shirts. Ellbogen ausfahren. Mit blauem Auge wird die Braut noch besser aussehen. Ein bisschen Farbe statt *Ganz in Weiß. Woahahahaha. Gehässiges Gelächter. Katze streicheln. Irres Grinsen.*

Wenn du gut gekämpft hast und die Götter des öffentlichen Verkehrs dir gewogen sind, kannst du nun atemlos, blutig und zerschunden auf deinen bequemen, weichen Sitz niedersinken.

Nun musst du nur noch alle übrigen Plätze mit deinem Gepäck, anderer Leute Gepäck, deinen Schuhen, deinen Füßen oder hastig aufgestapelten *mobil*-Zeitschriften blockieren. Du atmest tief durch. Deine Wut verraucht, dein Adrenalinspiegel sinkt, du verstaust deinen inneren Hulk bis zur nächsten Gelegenheit. Alles ist gut. Du hast die Bahn-Schlacht überlebt. Du und deine Mitreisenden, ihr seid nette Menschen, allesamt. Ihr sorgt euch um die Umwelt, um die Lage in Syrien, um die globale Ungleichheit. Niemals würdet ihr Eier aus Bodenhaltung kaufen. Atme, entspann dich. So ist es besser. Lächle das süße Kind zwei Sitze weiter an. Mach doch mal ein Geräusch, Kind … Moment mal, warum fährt der Zug nicht?

Ding. – «Liebe Fahrgäste, herzlich willkommen bei der Deutschen Bahn, wir haben derzeit eine Verspätung von dreißig Minuten, Grund dafür ist unsere fundamentale Unzulänglichkeit … *Woahahahaha.*» – **Ding.**

37. BEIM FLIRTEN VERSAGEN

Ich hoffe, du hast schon in einer Beziehung gelebt, als du nach Deutschland gezogen bist, denn hier eine anzufangen, kann eine echte Herausforderung sein – vor allem, weil die Bürger dieses schönen Landes zwar in vielen Bereichen kompetent, beim Flirten jedoch eher unbedarft sind. Sie wissen zwar, worum es grundsätzlich geht – es ist so ähnlich wie das, was Hunde im Park machen, wenn sie einander am Hinterteil schnüffeln, nur subtiler und mit Worten, vielleicht auch noch mit ein bisschen Körpersprache, um sicherzugehen. Aber was für Worte und welche Körpersprache?

ES GIBT KEINE REGELN! Darin liegt das Problem.

Beim Flirten ist der Subtext mindestens ebenso wichtig wie der gesprochene Text. Aber da in der deutschen Gesellschaft zu 99% der Zeit jeder Subtext vermieden wird, fehlt es beim entscheidenden Prozent – also bei der Romantik – komplett an Erfahrung damit. Bis die Leute vom DIN endlich eine Flirttabelle mit empfohlenen Vorgehensweisen erstellen, wird es noch eine Menge Verwirrung, Missgeschicke und Plumpheiten geben.

Männer fürchten sich davor, den ersten Schritt zu machen, weil sie von Generationen starker, unabhängiger deutscher Frauen erzogen wurden und die Frau ihres Interesses nun nicht ihrer Unabhängigkeit und Autonomie berauben wollen. Frauen überkompensieren das, indem sie oftmals erschreckend direkt sind. Paul, ein irischer Freund von mir, hat mir erzählt, wie er einmal allen Mut zusammennahm, um endlich eine schöne blonde Deutsche anzusprechen, die an der Bar stand. Nervös ging er auf sie zu und setzte zu einem witzigen Eröffnungsspruch an, den er auf dem Weg zu ihr geübt hatte. «Entschuldige, aber du bist zu klein», sagte sie, noch bevor er halb durch war mit seinem Satz. Dann drehte sie sich zur Theke um. Ende der Diskussion.

Immerhin hat sie sich entschuldigt.

Wenn du wie durch ein kleines Wunder doch ein Date ergatterst, wird es wahrscheinlich nicht Date genannt werden, weil das alle zu sehr unter Druck setzt. Und falls du bei diesem Date/Doch-nicht-Date bis zum Ende durchhältst, wirst du mit Sicherheit zum *Rechnungs-Shuffle* auf die Beziehungstanzfläche gebeten, bei dem du in peinlichen Erörterungen abwägen musst, wer was bezahlt oder halb bezahlt oder gar nicht bezahlt und was das alles zu bedeuten haben könnte? Und wenn du das Date überstehst, gibt es keine festgelegte Etikette, wie es weitergeht. Wie bald kann man sich wieder verabreden? Wer ruft wen an? Wie schnell können Dates zum Sex führen, oder zu einer festen «Beziehung»? Alles ist möglich, was größtenteils darin resultiert, dass nichts passiert. Deutschland hat mit etwa 1,4 Kindern pro Frau eine der niedrigsten Geburtenraten der westlichen Welt. Bevor du hergezogen bist, hast du dich wahrscheinlich gefragt, warum sie so niedrig ist. Doch wenn du erstmal angefangen hast, dich hier zu verabreden oder wenigstens zu versuchen, ein Date zu bekommen, fragst du dich bald, wie sie so hoch sein kann.

38. NORMCORE TRAGEN

Wie das Flirten ist auch die Mode ein Problem, weil es dabei ebenso an klaren Regeln fehlt. Eben noch ist man womöglich «in», im nächsten Augenblick schon lachhaft rückständig und «out», um dann einen Monat später – ohne dass man irgendwas an seinem Kleidungsstil geändert hätte – zu entdecken, dass man unerklärlicherweise wieder «in» ist, nämlich «retro». Beim Modespiel zu gewinnen ist in etwa so schwierig wie allein, im Dunkeln und ohne Karten Skat zu spielen. Darum umgehen die Deutschen diese gigantische Verschwendung an Kleidung und Zeit raffiniert, mit Hilfe einer genialen Erfindung namens *Normcore*. Normcore bedeutet, in jeder Hinsicht so durchschnittlich und unauffällig zu sein wie möglich – das Normale in Hardcore-Version. Die deutsche Ausdrucksform von Normcore ist das Ignorieren von launischen Trends zugunsten von klassischer Funktionskleidung – die lieber gut verarbeitet und praktisch sein will, als etwas so Flüchtigem, Sinnlosem und geradezu Nebulösem wie der Mode zu folgen. Auch Partnerlook wird gern gesehen – also Paare, die genau das Gleiche tragen und so ihre vorher einmaligen Identitäten zu einem verschwommenen 08/15-Typ verschmelzen. So wie man beim Scrabble einen doppelten Wortwert erzielen kann, bringt Partnerlook die doppelte Normcore-Punktzahl.

Kurz gesagt: Gut aussehen ist für dich jetzt out. Unsichtbar sein ist in. Die deutsche Logik ist zu dem korrekten Ergebnis gelangt, dass man nicht aus der Mode kommen kann, wenn man nie drin war. Du solltest die Mode daher wie eine Geburtstagsparty zu Teenagerzeiten behandeln, zu der du nicht eingeladen bist: Versuch nicht, die Einladung zu erzwingen, zeige aber auch nicht, dass dir die Ausgrenzung irgendwas ausmacht. Versuch einfach, so still und unauffällig wie möglich im Hintergrund zu bleiben – Normcore eben.

39. WENN DU UMZIEHST, NIMM DIE KÜCHE MIT (UND DIE LAMPENFASSUNGEN)

Jeder Mensch hasst Umzüge. Diese ganze Arbeit, die vielen Kisten, einpacken und auspacken und die Waschmaschine in den fünften Stock tragen, und das mit deinem schlimmen Rücken … Furchtbar. Ich habe mal eine Studie gelesen, die festgestellt hat, dass ein Umzug nach dem Kinderkriegen der größte Stress ist, dem der Mensch sich aussetzt. Und doch haben die

Deutschen sich zwei Besonderheiten ausgedacht, die das Ganze noch anstrengender machen. Das habe ich auf die harte Tour lernen müssen, als wir in unsere Wohnung in Berlin zogen. Der Umzug selbst war noch das Einfachste. Nachdem wir den letzten Karton von der Kette unserer Freunde entgegengenommen hatten, winkten wir ihnen zum Abschied und fingen mit dem Auspacken an. Es wurde schon dunkel, also drückte ich auf den Lichtschalter. Nichts passierte. Komisch. Ich knipste das Licht noch einmal an: wieder nichts. Ein kurzer Blick nach oben lieferte die Erklärung. Die Vormieter hatten die Glühbirnen mitgenommen! «Was für kranke, abartige Menschen nehmen denn die Glühbirnen mit?», fragte ich Annett. «Das ist ja eine ganz neue Stufe der Pedanterie. Das ist sozusagen *Peda*-Pedanterie.»

«Was für Menschen? Die gleichen, die auch die Fassungen mitnehmen», antwortete sie von dem Stuhl, auf dem sie stand und sich die Lampenfassung oder vielmehr deren Fehlen besah.

«Du machst wohl Witze.»

«Nein, hier sind keine Fassungen mehr.»

Ich sank auf einen ausgepackten Karton nieder.

«Was ist denn mit dir los?», fragte Annett.

«Das muss ich erstmal verarbeiten», sagte ich, rieb mir heftig die Schläfen und sah ganz allgemein verletzt und mitgenommen aus.

«Kannst du dich bitte wieder an die Arbeit machen? Wir haben noch viel zu tun.»

«Nein, kann ich nicht. Nicht jetzt gleich. Ich habe das Gefühl, der Fußboden dreht sich.»

«Findest du es so eigenartig, Glühbirnen und Fassungen mitzunehmen?», fragte sie.

«Eigenartig?! Ich habe die Menschen immer für grundsätzlich gut gehalten. Klar, ich weiß, dass es hier und da ein paar faule Eier gibt, aber im Großen und Ganzen sind sie mehr oder weniger gut, dachte ich. Aber wenn es tatsächlich Menschen auf der Welt gibt, die so kleinlich und knickrig sind, dass sie beim Auszug die Glühbirnen und Lampenfassungen mitnehmen, also, dann kann ich das nicht mehr glauben. Ich werde meine gesamte Weltsicht ändern müssen.»

Annett verdrehte die Augen. «Meinst du nicht, dass du ein bisschen dramatisierst?»

«EIN BISSCHEN DRAMATISIERST?», rief ich, sprang auf und wedelte wild und ziellos mit den Armen. «Dramatisch ist es, die Lampenfassungen abzuschrauben und mit in seine neue Wohnung zu nehmen, wo man sie braucht, weil der Vormieter dort auch die Fassungen mitgenommen hat und so eine endlose Kette vollkommen unnötiger Unannehmlichkeiten in Gang gesetzt hat. Wieso lassen nicht einfach alle ihre Birnen und Fassungen, wo sie sind? Ist denn auf dieser Welt nichts mehr heilig??!!»

Annett nahm meinen Ausbruch ungerührt hin. «Mach dich wieder an die Arbeit. Wir kaufen morgen neue Fassungen.»

«Es ist einfach ein bisschen viel auf einmal.»

«Dann geh doch mal in die Küche und hol uns Wasser.»

«Das ist eine gute Idee. Das mache ich.»

Ein paar Sekunden vergingen.

«WAS SOLL DENN DER SCH****? DIE KÜCHE HABEN SIE AUCH MITGENOMMEN?!»

40. (IRRATIONALE) ANGST VOR BÜROKRATIE

Meine Deutschlehrerin Claudia könnte man als antiautoritär bezeichnen. Das zeigt sich in ihrer Unfähigkeit, irgendetwas ernst zu nehmen, am wenigsten die Dinge im Leben, die sie nach den Ermahnungen ihrer Mitmenschen ernst nehmen sollte: Formulare, Termine, Steuern oder Aufforderungen von Menschen in Anzug und Krawatte, die angeben, zu einem wichtigen Staatsorgan zu gehören – so wie Herz oder Niere oder dem Rundfunkgebühren-Beitragsservice (früher der GEZ).

Manchmal macht sie vielleicht einen Brief auf. Anrufe? Überbewertet. Wenn es wichtig ist, werden die Leute schon einen Brief schicken. Steuererklärung? Sie glaubt, dazu habe sie mal ein Schreiben bekommen. Aber Steuern sind doch freiwillig, oder? So wie der Geburtstagsanruf bei entfernten Verwandten.

Als ich das von ihr erfuhr, war ich ziemlich schockiert. Im Gegensatz zu ihrer lässigen Haltung fange ich jedes Mal, wenn ich einen Brief mit dem Betreff «Mahnung» erhalte, sofort mit dem Kofferpacken an und wappne mich für ein Leben auf der Flucht. Vor Claudia hatte ich noch nie einen Menschen getroffen, der die deutsche Bürokratie nicht ernst nimmt. Das Finanzamt nennt sie eigentlich immer nur «das Kuschelamt». Ich glaube, zum letzten Mal auf einen Brief dieser Behörde geantwortet hat sie in den 90er Jahren, per Fax. «Ganz reizende Leute», versichert sie mir. «Man kann ihnen jederzeit einen

Brief schicken oder vorbeischauen und sich für das entschuldigen, was man gerade wieder nicht gemacht hat, und sie sind immer so verständnisvoll!»

«Das Finanzamt?!», entgegne ich schreckensstarr. «Davon handeln meine Alpträume. Eine Steuerprüfung wäre für mich wohl sowas wie eine Einladung zur Übernachtung im Hotel Guantanamo.»

Claudia bekommt einen Lachanfall. Sie zeigt mir die letzte Mail, die sie ans Finanzamt geschickt hat, mit Smileys darin. «Du schickst Smileys ans Finanzamt? Ist das nicht ungefähr so, als würde man der Queen eine Patrone schicken?»

«Nein, die mögen Smileys genauso. Das sind Menschen wie du und ich.»

Das Finanzamt besteht aus Menschen wie du und ich! Das war eine Offenbarung! Ich hatte sie mir immer wie eine Art Judge Dredd der Excel-Tabelle vorgestellt. Die deutsche Bürokratie kann doch nicht ohne Grund so berühmt sein, oder? Überflüssiger Papierkram ist ein Herzstück der internationalen Markenidentität dieses Landes. Mit so etwas war doch sicherlich nicht zu spaßen! Und doch saß mir Claudia gegenüber, die diesem Apparat furchtlos gegenübertrat und sogar Widerstand leistete, ohne Konsequenzen zu erleiden. Also fing ich an, meine Freunde zu befragen. Zu meiner großen Überraschung berichteten mir viele ganz Ähnliches. Die deutsche Bürokratie hat einen beängstigenden Ruf, da waren sich alle einig, doch in Wirklichkeit ist sie ganz in Ordnung. Sie bellt laut, aber sie beißt nicht. Manche Vorschriften befolgten meine Freunde, andere nicht; manchmal hielten sie sich an Termine und Zahlungsfristen, dann wieder nicht; die Menschen, mit denen sie kommunizierten, waren fast immer nett und verständnisvoll. Nein, sie hatten auch keine Ahnung, warum alle so eine Angst vor deutschen Ämtern haben.

Die deutsche Bürokratie ist also in Wahrheit fair und flexibel. Bitte, hab ruhig Angst vor ihr, wie fast alle Menschen. Aber falls du den Mumm hast, den Vorhang wegzuziehen, wirst du dahinter wahrscheinlich freundliche Menschen entdecken, die sich entspannen, Kaffee trinken, hier und da vielleicht ein paar Formulare stempeln und sich an Smileys erfreuen. Menschen wie wir, die genau wissen, dass sie zu viel von uns verlangen, dass wir ihre Forderungen nie erfüllen werden und dass alles so in bester Ordnung ist ;-)

41. IN DIE GESCHLECHTER-FALLE TAPPEN

Wenn du gerade Deutsch lernst, lieber foreigner: mein Beileid. Du wirst bemerkt haben, dass die Sprache eine riesengroße Bananenschale bereithält, auf der alle Nicht-Muttersprachler ständig ausrutschen – die Geschlechter. Zugegeben, sie verleihen der Sprache eine gewisse Poesie, doch zu einem maßlos hohen Preis – Deklination und Grammatik verkomplizieren sich ungeheuer. Aus *der* wird *den* oder *dem* oder *des* oder auch einfach wieder *der*. Adjektive verändern sich auf verwirrende Weise, die Endungen machen *nervig* zu *nerviges, nervige* oder *nervigen*, je nach Fall und Geschlecht. Glaube ich jedenfalls, denn ich habe es nie richtig gelernt – ich habe nämlich nur ein Leben.

Du wärst wahrscheinlich überrascht, wie wenige Einheimische es voll und ganz verstehen. Die verschiedenen Geschlechter erzeugen nicht nur grammatische Probleme, sondern ironischerweise auch geschlechtsbezogene. Wie können wir sie verwenden, ohne das männliche oder weibliche Geschlecht zu bevorzugen? Männliche Formen sollten keinen Vorrang haben, denn den hatten Männer die letzten hunderttausend Jahre, und viel Tolles ist nicht dabei herausgekommen. Darum will Deutschland zu Recht mit der Zeit gehen und in den Berufsbezeichnungen keine Diskriminierung mehr zulassen – es weiß bloß nicht wie. *Der Polizist* ist natürlich falsch und nicht inklusiv. Aber was ist richtig? *Der Polizist/die Polizistin* vielleicht? Sieht hässlich aus. Oder besser *Polizist_in*? Oder *Polizist*in*, oder *PolizistIn*? Hmmm. Alles irgendwie plump. Es gibt noch keine eindeutige Norm. Alle wissen, dass Gleichberechtigung wichtig ist, alle wollen politisch korrekt sein, aber niemand weiß, wie es geht. Manche Zeitungen verwenden die eine Form, andere eine andere, manche auch gar keine. Und alle erhalten sie wütende Kommentare, egal wofür sie sich entscheiden. Normalerweise kann man bei sämtlichen Fragen zur deutschen Sprache den *allmächtigen und allwissenden Duden* befragen; aber selbst der ist bei diesem Thema durcheinander. Es gibt einfach keine schlichte, elegante Lösung. Es herrscht Chaos – auf deutsche Art.

Also, mein/e liebe/r Immigrant*_In, mach dich darauf gefasst, genauso verwirrt zu sein wie alle anderen auch.

42. DIE HERKUNFT DER WÖRTER ACHTEN

Kaum etwas ist weniger englisch als die englische Sprache. Sie ist ein eigenartiger europäischer Eintopf, in den verschiedenste Eroberer – Römer, Angelsachsen, Skandinavier, Franzosen – Zutaten geworfen haben. «Lehnwörter» ist dafür ein seltsamer Ausdruck, weil wir es nie auf die Reihe bekommen haben, irgendeine dieser Leihgaben wieder zurückzugeben. Aber so funktionieren nun mal die meisten Sprachen: Sie sind alle ziemlich herumgekommen und haben sich einiges eingefangen. Doch im Gegensatz zum Englischen gehen manche Sprachen offen und ehrlich mit ihren linguistischen Seitensprüngen um. Englisch klaut Wörter ohne Genehmigung, ohne Quellenangabe, ohne Rücksicht auf ihre ursprüngliche Aussprache. Das sind jetzt englische Wörter, verdammt noch mal. Sie wurden ihrer Herkunft beraubt, in einen Union Jack gewickelt und mit Tee zwangsernährt. Der natürlich ein durch und durch englisches Getränk ist und ganz und gar nicht in China erfunden wurde.

Die deutsche Sprache ist nicht so. Sie spielt fair. Sie zeigt Respekt für ihre Wurzeln. Das weiß ich, weil meine Deutschlehrerin Claudia einen ganz speziellen Blick für mich reserviert hat, wenn ich laut vorlese und auf ein französisches Lehnwort stoße, das ich dann wie ein deutsches Wort ausspreche. Dieser Blick – eine Mischung aus Missmut und Mitleid – sagt mir: «Du armer kultureller Neandertaler. Was hat dein Volk dir nur angetan? Wir plündern andere europäische Kulturen nicht so stillos. Es heißt nicht *En-gah-geh-ment*, sondern *Ongahschma.*» Auch du musst diese Regel respektieren und also lernen, welche Wörter frankophiliert werden. Wenn du erst mal drin bist, macht die Sache richtig Spaß. Dann freust du dich direkt darauf, diese kleinen Croissants in deinem Sprachfrühstück zu finden. Sie sind wie ein kurzer Städtetrip für den Mund. *«Ongahsch-ma.»*

Du glaubst mir nicht? Ich habe einen Absatz vorbereitet, um das Phänomen zu illustrieren. Bitte lies ihn laut und mit dem angemessenen interkulturellen Respekt, den auch deine deutschen Freunde ihm erweisen würden. Wenn du dich nicht umgehend in blühende Lavendelfelder versetzt fühlst, von warmer Sonne beschienen, ein Glas Sauvignon Blanc in einer Hand und ein Stück so streng riechenden Käse in der anderen, dass man noch im Nachbardorf die Fenster schließen muss, dann machst du etwas falsch:

Der Chauffeur lehnte nonchalant am Volant des Cabriolets. Er war kein Amateur in amourösen Dingen, die Damen goutierten seinen Charme, seinen Esprit, seine Verve, sein gewisses *je ne sais quoi* – an jedem Jour fixe parlierten sie darüber. Wie gern hätten sie alle ein amouröses Tête-à-tête mit ihm arrangiert, ein superbes Diner vielleicht im Restaurant, das chice Parfüm aufgelegt und sich zum Dessert mit Café au lait ins Chambre séparée zurückgezogen, unterm Chiffonkleidchen gewagte Dessous … nicht einmal eine Ménage à trois hätten sie verschmäht. Doch er behielt stets die Contenance und begegnete all ihren Avancen mit Distance, womöglich gar mit Ennui. Äußerst degoutant.

43. SENF DAZUGEBEN

Hierzulande sind alle ganz scharf auf Senf. Das ist ihre ganz besondere Würzpaste, ihr Königsdressing. Begeistere dich von ganzem Herzen dafür. Schmier ihn dick und reichlich auf alles Essbare. Damit gewinnst du die Herzen, Köpfe und Mägen deiner neuen Freunde.

Dir wird allerdings aufgefallen sein, dass Senf nur eingeschränkt verwendbar ist – man kann ihn ausschließlich dem Essen beigeben. Das ist ärgerlich. Die Deutschen wollen gern zu allem und jedem Senf hinzufügen. Gibt es irgendetwas auf der Welt, was durch Verwendung der gelben Wundercreme nicht besser würde? Eben. Warum sollte man also bis zum Abendessen warten? Das stellte ein Problem dar. Man steckte die Köpfe zusammen. Man berief Meetings ein. Man erstellte PowerPoint-Präsentationen. Ausschüsse teilten sich in Unterausschüsse auf, dann in Arbeitsgruppen der Unterausschüsse. Berichte wurden geschrieben. Eine Lösung musste her. Es musste doch irgendwo eine geben. Oder nicht?

Doch …

Deutschland löste die Senfkrise mit einer wunderbaren Erfindung – dem *Meinungssenf*. Ganz recht. Während man auf Englisch seine Meinung beisteuert, indem man «seine zwei Cent dazugibt», heißt es im Deutschen «seinen Senf dazugeben». Seinen Meinungssenf.

Was ist so toll an diesem Meinungssenf? Nun, im Gegensatz

zum richtigen Senf kostet er nichts, er wird nie alle, riecht nicht schlecht, und da er nur metaphysisch und metaphorisch existiert, macht er auch keine Flecken aufs Hemd! Darum ist er die perfekte alltägliche Unterhaltungswürze. Weshalb die Deutschen wahrscheinlich auch so scharf darauf sind, überall ihren Senf dazuzugeben, ob man sie fragt oder nicht. Gerade wenn man sie nicht fragt. Dann schmeckt er irgendwie noch besser. Geteilter Senf ist doppelter Senf, nicht wahr? Genau. Also tu dir keinen Zwang an und dränge all deinen Mitmenschen deine Meinung auf, überall, jederzeit – Freunden, Kollegen, Fremden, Facebook-Trollen, Müttern, die ihre für das kalte Wetter nicht angemessen gekleideten Kinder in der Karre durch den Park schieben. Geh zu ihnen hin und wärme ihnen mit einem Schlag

Senf das Herz. Ganz bestimmt hören sie nur zu gern deine Ansichten zur Kindererziehung, vor allem, wenn du selbst gar keine Kinder hast. Du siehst jemanden, der auf dem Bürgersteig Fahrrad fährt? Spring dem Ordnungsrebellen vor den Lenker und überschütte ihn mit Senf. Jemand bricht das Linksparkverbot? Steck ihm ein passiv-aggressives Briefchen an die Scheibe, das vor Senf nur so trieft. Ganz bestimmt wissen sie es zu schätzen, dass ihr Tag so würziger und schmackhafter wird.

Kurz gesagt – wenn du hier lebst, musst du dich an folgende Regel halten: Wenn du Senf dazugeben kannst, dann gib Senf dazu. Und wenn es kein richtiger Senf sein kann, dann such den Schuldigen und ertränke ihn in Meinungssenf.

44. DIE APOTHEKE

Nachdem die erste Folge von *Wie man Deutscher wird* erschienen war, wandten sich mehrere Menschen mit der dringenden Bitte an mich, doch etwas über die deutsche Apotheke zu schreiben. «Diese Einrichtungen sind nicht normal», meinten sie. Die Leute schienen durch die Existenz deutscher Apotheken zutiefst gekränkt zu sein. Oder vielmehr dadurch, dass niemand anders sich darüber beschwerte. Sah denn niemand, wie grauenhaft die durchschnittliche deutsche Apotheke ist? Standen wir etwa alle unter Drogen?

Wenn man hierzulande krank wird, ist in der Tat das Schlimmste daran oft, dass man eine Apotheke aufsuchen muss. In sieben Schichten warme Kleidung gehüllt (und in deinen *Zauberschal für sofortiges Wohlbefinden* gewickelt) humpelst du zur nächstliegenden. Ein kleines Glöckchen oben an der Tür bimmelt beim Eintreten. Drinnen ist es leer. An den Wänden stehen Schränke aus dunklem Holz mit Glastüren, die deine Aufmerksamkeit auf sich ziehen. «Wir sind gegen Trends immun», will die Einrichtung sagen. «Egal, was draußen passiert, hier in deiner Apotheke geht das Leben weiter seinen gewohnten Gang. Und es geht ihn noch viel länger, dank der wunderbaren Medikamente, die wir dir bieten.»

Plötzlich hörst du eine Stimme: «Wie kann ich Ihnen helfen?» Eine Frau ist wie von Zauberhand aus dem Nichts erschienen. Sie ist sehr wahrscheinlich einundvierzig Jahre alt. Sie trägt sicher eine Brille und einen weißen Laborkittel. Ihre Miene sagt: «Vertrauen Sie mir, denn mir steht das ganze Arsenal der Wissenschaft zur Verfügung. Ich war gerade im Hinterzimmer, um Krebs zu heilen, aber ich bin nicht so beschäftigt, dass ich Ihnen nicht zwischendurch Aspirin verkaufen könnte.»

Du wühlst in der Hosentasche nach dem zerknüllten Rezept, das der Arzt dir mitgegeben hat. «Einen Augenblick», sagt sie, als du es ihr aushändigst. Dein Blick schweift zu den medizinischen Utensilien, die oben auf dem Regal stehen. Dinge in Glasbehältern wahrscheinlich. Du schaust wieder nach unten. Die Frau ist verschwunden. Wo ist sie hin? Du beugst dich über den Tresen – nichts. Seltsam. Beiläufig blätterst du eine Broschüre über Kopfläuse durch. Du kratzt dich am Kopf. Verdammt. Widerwillig steckst du die Broschüre ein.

«Da hätten wir es», sagt eine Stimme. Die Apothekerin hat sich erneut materialisiert, in der Hand eine Tablettenschachtel und ein Nasenspray. Du hast keine Schritte gehört. «Das macht dann 47 Euro, bitte.» Eine Welle des Schwindels erfasst dich. Instinktiv klammerst du dich an den Tresen, um das Gleichgewicht zu wahren.

«Wie bitte?!»

«47,60.»

«47 Euro?!»

«Ja, 47,95.»

«Aber das sind doch bloß ein paar Tabletten.»

«Genau. Nehmen Sie jeweils eine direkt vor den Mahlzeiten. Also dann, 48,15.»

«Das ist ja eigenartig», sagst du. «Jetzt habe ich nämlich auch noch so einen stechenden Schmerz im Portemonnaie. Haben Sie irgendetwas dagegen?»

Die Augenbrauen der Apothekerin streben nachdenklich in die Höhe. «Schmerzen im Portemonnaie?» Deinen Sarkasmus nimmt sie gar nicht zur Kenntnis. «Das ist ungewöhnlich. Vielleicht ist es ein wenig verstopft? Ich würde Ihnen raten, es zu öffnen und mir seinen gesamten Inhalt zu überlassen.»

«Und das wird die Symptome beseitigen?»

«Sollte es eigentlich. Falls nicht, wiederholen wir es einfach alle 48 Stunden.» Sie schenkt dir ein reizendes, breites, unschuldiges Lächeln. Ihre Zähne glänzen. Du kannst nicht fassen, was du da zu hören kriegst. 47 Euro für ein paar Pillen und Nasenspray. «Sie wissen schon, dass in meinem Land die Apotheken in Supermärkten angesiedelt sind, oder? Ein Regal hinter der Marmelade. Da kriege ich ein Fläschchen mit 50 Paracetamol für 27 Pence.»

«Paracetamol? Kein Problem», sagt sie, ohne die Lippen zu bewegen. «Da habe ich hier einen Zwölferpack für 9 Euro 70. Das wären dann zusammen 59 Euro, bitte.»

Du bist wütend, aber was hast du schon für eine Wahl? Du greifst nach deinem Portemonnaie. «Mit diesem weißen Kittel können Sie mich nicht hinters Licht führen, meine Dame. Sie sind keine Ärztin. Sie geben bloß Tabletten aus.»

Sie lächelt spröde. «Mir ist aufgefallen, dass Sie sich am Kopf kratzen, darum habe ich Ihnen noch eine Lotion gegen Kopfläuse dazugetan. Das sind dann noch mal 18 Euro drauf. Vielen Dank für den Besuch in Ihrer Apotheke.»

«Das ist nicht meine Apotheke», sagst du und stolperst wieder hinaus auf die Straße, wo du deine weinenden Augen mit der Hand vor der grellen Sonne abschirmst. Die Menschen auf der Straße wenden sich von dir ab. Sie haben deine Apothekentüte gesehen, sie wissen, was passiert ist. Aber niemand spricht darüber. Was in der Apotheke geschieht, bleibt in der Apotheke – genau wie das Geld aller Deutschen.

45. UNAUFLÖSBARE VERTRÄGE

Ich bin auf einer Party in Friedrichshain. Wie 98% der Gäste stehe ich in der Küche, im Einklang mit der *Deutsche-Hausparty-Ordnung, Regel Nr. 1.* Ich lerne einen Mann namens John kennen, der aus Dänemark kommt und Brettspiele mag. Wir plaudern ein wenig und kommen irgendwann darauf zu sprechen, was ich beruflich mache. Ich erzähle ihm von meinen Büchern. «*Wie man Deutscher wird*?», fragt er. Ich nicke.

«Wie man Deutscher wird ...», wiederholt er und rollt die Wörter auf der Zunge herum, als seien sie unfassbar exotisch. «Wie – man – Deutscher – wird.» Er nimmt einen Schluck Bier. Es wird still. Er nickt. Atmet laut aus. Ich nehme auch einen Schluck Bier. Wieder Stille. Das ist schön. Die Leute reden zu viel, finde ich. John streicht sich übers Kinn. Er wirkt tief in Gedanken versunken. Zeit vergeht. Ich mache das nächste Bier auf. In unserer Küchenecke herrscht gute Stimmung. Richtig tolle Stimmung.

«Abmeldebestätigung», sagt er schließlich und bricht damit das angenehme, bierselige Schweigen.

«Entschuldigung?»

«Abmeldebestätigung», wiederholt er und schaut wieder sein Bier an. Für ihn ist die Sache damit erledigt.

«Das ist aber ein langes Wort», sage ich.

«Mehr als das, mein Freund. Das ist Deutschland in einem langen Wort.»

Ich habe das Wort noch nie gehört, deshalb frage ich: «Was ist denn eine Abmeldebestätigung?»

«Die brauchst du, um aus einem Vertrag rauszukommen.»

«Okay», sage ich wenig beeindruckt. «Klingt ja eher harmlos.»

John lacht. «Klingt harmlos», sagt er und verdreht die Augen. «Erzähl das mal meinem spanischen Freund Edu. Er ist gerade wieder zurück nach Spanien gezogen, und er kommt aus seinem Vertrag mit dem Fitness-Center nicht raus, weil er keine Abmeldebestätigung hat.»

«Und warum ist das typisch deutsch?»

«Weil es so unsinnig ist. In den meisten Ländern braucht man eine Erlaubnis, um etwas Bestimmtes zu tun, richtig? Hierzulande muss man auch um Erlaubnis fragen, wenn man etwas nicht mehr tun will. Daher die Abmeldebestätigung. Wahnsinn.» Ich bin immer noch nicht überzeugt, aber John ist ein netter Typ, und er mag Brettspiele, eine vollkommen harmlose Vorliebe, die von seinem freundlichen, wenn auch etwas spießigen Wesen zeugt. Ich möchte ihm glauben.

«Selbst wenn Edu eine Abmeldebestätigung aus Deutschland hätte, würde das nicht reichen. Er braucht außerdem die Meldebestätigung aus Spanien. Aber zur Zeit ist er auf Reisen, darum hat er sich dort gar nicht angemeldet. Er macht eine Weltreise, hat keine Ahnung, wann er zurückkommt. Außerdem darf er die Meldebestätigung nicht auf Spanisch vorlegen. Wenn er sie also hätte, müsste er sie auch noch übersetzen lassen. Und das bloß, um den Vertrag mit einem Fitness-Center zu beenden. Es ist kafkaesk.» John schüttelt den Kopf. «Kann ich das Wort verwenden?» Ich verstehe seine Bedenken, das Wort «kafkaesk» womöglich unpassend zu gebrauchen. «Du hast Recht, es ist ziemlich abgenutzt, John. Aber in diesem Fall scheint es mir angemessen.»

Mein Freund Irish Jack steht in der Nähe und hat unser Gespräch mitgehört. Irish Jack hat Jura studiert, hat das Studium sogar abgeschlossen, doch jetzt hasst er die Juristerei mit Inbrunst und Leidenschaft – so sehr, dass er nach Berlin gezogen ist, um hier, tja, ich weiß auch nicht was zu werden. «Absichtlich verirrt» ist wohl die zutreffende Beschreibung. Er hat den Aktenschrank gegen den Ausschank getauscht, könnte man sagen. «Hört mir bloß auf mit dem deutschen Vertragsrecht», höhnt er. «Das ist eine einzige Lachnummer. Es ist unfassbar schwierig, aus Sachen rauszukommen, von denen man gar nicht wusste, dass man drin war.»

Plötzlich fällt mir ein, dass auch ich mich neulich erst aufgeregt habe. «Ganz genau!», bekräftige ich. «Für alltagsbehinderte Menschen wie mich ist es echt schwierig, hier zu leben. Paradebeispiel: Diese Woche hat sich meine *BahnCard 25* automatisch verlängert. Wieso verlängert die sich von selbst? Das Ding werde ich bis zu meinem Tod behalten. Wahrscheinlich sogar noch ein paar Jahre länger. Die Urne mit meiner Asche wird noch viele Jahre ermäßigt Bahn fahren können.»

«Genau.» Jack kippt sein Bier hinunter. Nicht sein erstes.

«Außerdem habe ich 2010», fahre ich fort, immer noch empört, «online eine Reiseversicherung abgeschlossen, und letzte Woche erst habe ich bemerkt, dass es anscheinend so eine Art Abo war und sie mir seitdem immer wieder Geld abbuchen.»

«Kommt mir sehr bekannt vor», bestätigt Brettspiel-John. «Drecksäcke.»

«Aber es kommt noch schlimmer. Weil ich nicht wusste, dass die Versicherung sich von selbst verlängert, habe ich 2011 wieder eine abgeschlossen. Und die hat sich jetzt auch verlängert.» Wir schütteln einmütig den Kopf. John macht *ts, ts*. Wir nehmen einen Schluck Bier. Jacks Flasche ist leer – wenig überraschend. Während er mit dem Gabelgriff (Profi!) eine neue öffnet, ergreift er wieder das Wort. «So machen sie das hier. Sie locken dich mit einem guten Angebot, und sobald du aus der Sache wieder raus willst, musst du unbedingt ein Fax schicken. Du hast kein Faxgerät – das wissen sie.»

«Kein Mensch hat ein Faxgerät», sagt Brettspiel-John ungläubig. «Wir leben im Jahr 2015. Und nicht in den 80ern.»

«Haargenau», bestätigt Jack. «‹Kein Problem, mein Herr›, sagen sie dann. ‹Rufen Sie uns einfach an, unsere Sprechzeiten sind jedes Schaltjahr im Februar. Und natürlich unter unserer Premium-Dienst-Nummer mit Extragebühren.›»

«Natürlich», stimmen wir alle zu.

«Auf Deutschland», sagt Jack und hebt die Flasche.

«Und seine ruhmreichen Abmeldebestätigungen», fügt John hinzu, als unsere Flaschen aneinander klirren.

Wir trinken unser Bier. Eine Weile sagt niemand etwas. Das ist schön.

46. SPRINGERSCHMERZ SPÜREN

Die *Bild*-Zeitung ist ein Rätsel. Alle werden dir versichern, dass es die meistgelesene Zeitung Deutschlands ist, doch du wirst niemanden finden, der zugibt, sie zu lesen. Irgendwer muss sie doch irgendwo lesen. Aber wer? Und wo? Der Bauarbeiter da hinten im Stehimbiss mit dem Mettwurstbrötchen? Nein, selbst der streitet ab, sie zu lesen. Im Leben nicht würde er sich von den sensationslüsternen Sportüberschriften und den Oben-ohne-Fotos anlocken lassen. Obwohl dir also all deine deutschen Kommilitonen an der Uni ständig von der skrupellosen zerstörerischen Macht der *Bild* erzählen, kriegst du nicht viel davon zu sehen. Aber widersprich ihnen nicht. Spiel einfach mit. Nicke nachdenklich, wenn sie das Boulevardblatt tadeln. Mach Witze darüber, dass es nicht mal als Klopapier taugt. Das ist ein guter erster Schritt.

Natürlich verdient nicht nur die *Bild* deinen Zorn. *Bild* ist nur das sichtbare Zehntel des deutschen *Medieneisbergs der Schande*. Die übrigen 90% verbergen sich drohend unter der Oberfläche, in Gestalt des *Bild*-Eigentümers, des Medienkonzerns Springer. Springer und all seine verschiedenen Medienunternehmen zu hassen, ist eine so beliebte Beschäftigung, dass man sich wundern muss, warum es noch keinen Feiertag dafür gibt.

Unter normalen Deutschen ist der Hass auf Springer so tief verwurzelt, dass sie eine körperliche Pawlowsche Reaktion entwickelt haben, den *Springerschmerz.* Das ist eine Art nervöser Tick, der einsetzt, sobald irgendjemand die Worte «Bild» oder «Springer» ausspricht. Achte auf das Zucken im Augenwinkel, oder ein Zusammenfahren, als ob sie einen leichten Stromschlag bekommen. Dezent, aber sichtbar. Halt die Augen offen und beobachte sie. Deine Aufgabe ist es nämlich, diese unwillkürliche Reaktion nachzuahmen, damit sie sehen können, dass du Springer genauso hasst wie sie selbst. Üb zu Hause vor dem Spiegel. Oder noch besser: kauf dir die aktuelle Ausgabe der *Bild*-Zeitung (aber erzähl es keinem und versteck sie auf dem Heimweg in der *ZEIT* dieser Woche, falls dich jemand sieht). Wenn du dann liest, wie die *Bild* über Ausländer oder Frauen oder Fußballerfreundinnen schreibt, solltest du etwas spüren. *So ein Zucken. Ein Kribbeln. Leichtes Unwohlsein. Den Wunsch zu duschen.* Gut, foreigner, gut. Arbeite damit … verdichte es … konzentriere es … und dann … *Peng.* Lass es raus: ein kurzes, scharfes Aufzucken von Springerschmerz.

47. DEN ZIMMERMANN RESPEKTIEREN

Eines Abends sitzen Annett und ich mit Freunden in einem Leipziger Restaurant. Die Gaststube ist voll, und ein kleiner Mann in Verkleidung mit schmierigen, ungekämmten Haaren tritt ein. Er schlägt mit einer Gabel gegen ein Bierglas; Stille senkt sich allmählich über das Restaurant, alle drehen sich zu ihm um. «Meine Damen und Herren», hebt er an. «Ich heiße Klaus. Ich bin Zimmermann. Vor sechs Monaten und zwölf Tagen habe ich meine Heimatstadt verlassen. Es sind noch neunhundertdrei Tage, bevor ich sie wiedersehen darf.»

Klaus ist kein klassisch gutaussehender Mann. Seine Stirn ist zu gewölbt, sein Gesicht zu eckig, seine Stimme klingt dünn. Doch er hält sich stolz und gerade. «Ich wandere nach alter

Handwerksburschen-Art, wie es mein Vater und vor ihm sein Vater getan haben. Ich ziehe von Stadt zu Stadt und ernähre mich nur von meiner Hände Arbeit.» Hier macht er eine Pause und blickt auf seine beiden riesigen schwieligen Pranken.

«Entschuldigen Sie, dass ich Sie beim Essen unterbreche, ich wünsche Ihnen allen einen schönen Abend. Wenn Sie so freundlich wären, mich mit ein paar Euro für meinen Weg in die nächste Stadt zu unterstützen, wäre ich Ihnen sehr dankbar. Und natürlich: Sollten an Ihrem Haus Arbeiten nötig sein, würde ich es mit derselben Ehrerbietung und demselben Respekt behandeln wie mein eigenes. Schön' Abend noch und auf Wiedersehen.»

Was nun geschieht, überrascht mich: Niemand sonst ist genervt, dass dieser mittelalterliche Hufschmied uns gestört hat. Stattdessen öffnen die Gäste ihm ihre Herzen und ihre Brieftaschen. Manche bestellen ihm sogar einen Schnaps. Er bekommt zehn Euro in bar, und das nur von unserem Tisch. Ich sehe, wie ihm verschiedene andere Gäste Geldscheine reichen und ihm alles Gute wünschen. Das verwirrt mich sehr. Ich halte immer die Augen offen auf der Suche nach einem Job, der leichter ist als mein eigner, und so beobachte ich gebannt, wie immer mehr Menschen dem Mann Geld und Getränke spendieren. «Wer war dieser Mensch?», frage ich, nachdem er gegangen ist.

«Bloß ein Zimmermann», sagt Annett.

«Sag das nicht so, als gäbe es das wirklich. Das Wort hast du dir doch gerade ausgedacht, oder?»

«Nein. Das ist ein Beruf.»

«Wieso ist er wie ein feudaler Superheld verkleidet?»

«Das ist seine Arbeitskleidung. Er besitzt nur diese Sachen.»

«Wieso?»

«Tradition. Sie haben alle möglichen ungewöhnlichen Traditionen.»

Ich reibe mir die Schläfen. «Aber das ergibt doch alles überhaupt keinen Sinn.»

«Das sind wandernde Handwerksburschen. Sie machen Zimmermannsarbeiten für Kost und Logis.» Annett sagt das ganz ruhig, als ergäbe für sie tatsächlich alles einen Sinn.

«Und warum nicht für Geld wie alle anderen?»

«Tradition. Es ist ihnen auch für die ganze Zeit ihrer Wanderschaft verboten, in ihre Heimatstadt zurückzukehren. Sie sind auf der Walz, so nennt man das. Drei Jahre und einen Tag, glaube ich.»

«Und spielen sie auch beim Gehen auf einer magischen Pfeife, und eine ganze Schar Ratten folgt ihnen nach?»

Annett verdreht die Augen. «Wieso tust du so, als wäre das Ganze total schräg? Sie sind bloß Handwerksgesellen. Da ist überhaupt nichts Seltsames dran.»

Seit diesem Abend habe ich häufiger Zimmermänner gesehen. Ich finde sie inzwischen beinahe nicht mehr seltsam, was vor allem zeigt, dass ich schon zu lange hier lebe. Außerdem glaube ich zu verstehen, warum die normalen Deutschen sie so verehren. Warum sie glauben, der Zimmermann besitze eine stille und ehrliche Würde, die ihrer Schreibtischarbeit abhanden gekommen ist. Weil der Beruf des Zimmermanns alle heiligen deutschen Werte in sich vereint: Handwerk, Lehre, Natur, Tradition, Wandern, Bier, Uniformen, unnötige Kompliziertheit, manuelle Arbeit, technische Fertigkeiten und, ganz und gar nicht zuletzt, Holz. Die Zimmermänner sind die umherstreifenden Supermänner der deutschen Kultur.

Und deine Aufgabe? Ganz einfach. Sei ihre Lois Lane.

48. PILZE SAMMELN

Magst du Pilze, mein liebster foreigner? Würdest du sie gern in ihrer natürlichen Heimat ernten? Nein, der Supermarkt ist nicht ihre natürliche Heimat, Dummkopf. Sondern die Natur. Wenn ja, dann hast du Glück, denn dir steht hier ein unterhaltsames und typisch deutsches Hobby offen: Pilze sammeln …

Zum ersten Mal erlebte ich diese eigenartige Freizeitaktivität auf einer Wanderung, zu der mich eine deutsche Freundin überredet hatte, indem sie an mein schlechtes Gewissen appellierte. Während wir durch den Wald wanderten und die Stunden herunterzählten, bis wir wieder nach Hause gehen und *Tatort* gucken konnten, trafen wir auf ein Grüppchen älterer Leute auf dem Heimweg. Sie schoben Fahrräder, und an einem davon hing hinten ein kleiner Anhänger. Darin waren eine Menge leerer Bierflaschen und mehrere volle Tüten. Eine der Damen, die sehr stolz auf sich zu sein schien, hielt eine Tüte auf, damit wir hineinschauen konnten.

Sie war voller Pilze.

Ihrer Miene nach zu urteilen hätte es auch pures Gold sein können. «Hat glaube ich bloß zwanzig Minuten gedauert», sagte sie leicht schwankend. «Wir haben ein paar Bier getrunken. Vielleicht habe ich die Zeit auch ein bisschen aus den Augen verloren, jedenfalls waren die Taschen plötzlich voll!» *Hicks.* Sie hatte vielleicht Pilze gesucht, aber gefunden hatte sie vor allem Pils. Sie stützte sich an einem Baum ab. «Man muss sie in Scheiben schneiden und wie ein Schnitzel panieren», sagte sie und versuchte uns ein paar aufzudrängen.

«Vielen Dank», sagte ich, «aber ich bin eigentlich nicht so der Pilztyp.»

«Echt nicht?» *Hicks.* «Nicht mal *Maronen*?! Die Marone ist der König der Pilze.»

Ich hatte schon von der Popband Maroon 5 gehört, und dass Esskastanien auch Maronen hießen, aber ein Pilz? Der König der Pilze? «Woran erkennen Sie denn die Maronen?», fragte ich. Aus ihrem Blick sprach Mitleid. Ich hatte meine absolute Trotteligkeit offenbart. «Na gut, vielleicht solltet ihr keine Pilze sammeln», sagte sie. «Ich kannte mal so einen Pilzexperten. Ist gestorben … hat einen sehr giftigen Pilz gegessen.»

Wir dankten ihnen und gingen unseres Weges. Wir nahmen zwar keinen ihrer Pilze an, aber immerhin eines ihrer übrig gebliebenen Biere. *Sternburg*, in vielerlei Hinsicht der König der Biere.

«Ist Pilzesammeln in Deutschland sehr verbreitet?», fragte ich meine Wanderpartnerin Jenny.

«Zu bestimmten Jahreszeiten schon, ja. Die Leute nehmen das ziemlich ernst. In Großbritannien nicht?»

«Da nehmen sie das Einkaufen bei *Tesco* sehr ernst. Meine Mutter ist schon mindestens Halbprofi darin. Sie geht sechs Tage die Woche hin.»

«Ach, ich weiß nicht, ich finde, es hat was, sein Abendessen selbst zu jagen und zu sammeln. Das ist irgendwie nobler», meinte Jenny.

«Ich bin nicht sicher, ob es so ein nobler Tod ist, zuerst im Dreck zu wühlen wie ein Schwein, um dann ein falsches Pilzschnitzel zu braten, von dem ich sterbe, weil ich die Pilze versehentlich für königliche Maronen gehalten habe.»

Darüber dachte sie einen Augenblick nach. «Ja, du bist aber auch inkompetent. Bei dir sieht Duschen schon wie ein Extremsport aus. Red Bull würde dich wahrscheinlich dafür sponsern. Ich glaube, uns Deutschen ist es wichtig, eine gewisse, wie soll man es nennen, *Naturfähigkeit* zu besitzen.»

Ich zuckte verächtlich die Achseln. Das mache ich oft, wenn Leute auf eine Art und Weise Recht haben, die mich nervt. «Na gut, meinetwegen, aber ich bin voll und ganz zufrieden mit meiner Supermarktfähigkeit, vielen Dank auch.»

49. KASSEKEGELN

Wenn du die Regale deines lokalen Supermarkts durchstreift hast, wirst du zweifellos irgendwann in der Kassenschlange landen, den Wagen voll mit deutschen Grundnahrungsmitteln: Quark, Quark, Quark, Bier, Quark, Erdnussflips, unmöglich dunklem Brot und Bio-Eiern. Vielleicht auch noch ein paar weiteren von der Stiftung Warentest positiv bewerteten Artikeln, wenn es sie gerade im Sonderangebot gibt. Zweimal überprüfst du, ob du einen Warentrenner zwischen deine Einkäufe und die identischen Waren des Menschen hinter dir gelegt hast. Keinen solchen Warentrenner zu benutzen, gilt deinen neuen Landsleuten als gewaltiger Affront. So als würde man bei einer Beerdigung die Macarena tanzen.

Warentrenner liegt? So weit, so gut. Der Einkauf läuft prima bisher. Doch dann sitzt an deiner Kasse eine Frau mittleren Alters mit kurzen Haaren und Brille. Auf ihrem Namensschild steht «Frau Schmidt». Ihre strenge Miene lässt vermuten, dass sie eine Zitrone lutscht. Wenn du an ihr vorbei zum Packbereich gehst, wird sie dir den *minimal nötigen Gruß* zukommen lassen. Er könnte aus einem knappen Nicken, einem barschen «Hallo» oder sogar einem «Guten Tag» bestehen.

Das ist die Startsirene.

Nun beginnt das riskante Supermarktspiel um hohe Einsätze: *Kassekegeln*. Das spielt Deutschland jedes Mal mit dir, wenn du in einem seiner Supermärkte einkaufst. Dem Land ist es egal, ob du willst oder nicht. Ob du es kannst oder nicht. Mitspielen ist Pflicht.

Das Spiel läuft so: Sobald du zum Packbereich kommst, kramst du rasch die vielen Plastiktüten und Stofftaschen hervor, die du mitgebracht hast. Das ist zwar sehr löblich, aber dein Umweltbewusstsein verschafft dir bei Frau Schmidt keine Gnade. Sie wartet nicht, bis du deine Taschen geordnet hast.

Stattdessen fängt sie an, deine Einkäufe so schnell wie nur menschenmöglich einzuscannen und weiterzuschieben, so dass sie sich schließlich an deinem Ende der schrägen Fläche zu einem großen Haufen türmen. Daraufhin musst du gestresst und hektisch das sorgsam ausgetüftelte Packsystem über Bord werfen, das du dir gerade überlegt hast, und stattdessen bloß alles, was du schnappen kannst, in das nächstbeste Transportbehältnis werfen.

Das sieht Frau Schmidt. *Netter Versuch, Kunde*, denkt sie sich. Sie beschleunigt. Oh nein! Auch du wirst schneller. Mit fliegenden Händen und kreisenden Armen versuchst du dich schützend vor deine zerbrechlichen Waren zu werfen. Doch es hilft nichts. Frau Schmidt greift nach den Konservendosen und Mineralwasserflaschen und feuert sie die Rutsche hinunter auf die noch nicht weggepackten Objekte. Dabei nimmt sie ganz gezielt deine Bio-Eier, deine Avocados und deinen Quark aufs Korn. Und jetzt kegelt sie eine Wassermelone auf deine Brötchen zu! Wie unmenschlich. Alles, nur nicht die Brötchen! Moment mal – du magst doch überhaupt keine Melonen. Wo kommt jetzt diese Melone her? Zu spät. Treffer! Deine Brötchen verkrümeln sich. Frau Schmidt ist glücklich, zeigt es aber nicht. So perfekt ist ihr Pokerface.

Du hingegen gerätst in Panik. Überall sind Lebensmittel, und du weißt nicht mehr, in welcher Tüte die Eier stecken! Wieder zu spät. Schwere Lasten zerquetschen Empfindliches. Rohes Fleisch schmiegt sich an frische Äpfel. Der nächste Kunde betritt den Packbereich und will mit dem Einpacken beginnen. Misstrauisch lungert er dicht neben dir, und sein kalter, gefühlloser Blick spricht das Urteil über deine Unfähigkeit. «Erster Tag auf diesem Planeten?», fragt die gnadenlose Miene. Du hast keine Zeit zu antworten, weil du hastig Quark einsammelst, so viel Quark, der schnell aus der Schusslinie muss. Die anderen Leute müssten Kassekegeln doch auch kennen und wissen, dass du nichts dafür kannst? Du murmelst ein paar entschuldigende

Worte und fliehst verstört, in den Armen lauter schlecht gepackte Taschen und zerknautschten Quark.

«Guten», sagt Frau Schmidt zum nächsten Kunden, die Arme bereits in Kampfhaltung.

Und der Kreislauf wiederholt sich *ad infinitum.* Willkommen in Deutschland.

50. KICKER-MAESTRO WERDEN

Wenn du mal einige Zeit in Kneipen oder am Arbeitsplatz verbracht hast, ist es nicht unwahrscheinlich, dass deine deutschen Freunde oder Bekannten dich schon mal zu einer Partie Kicker (oder Tischfußball) eingeladen haben. Du denkst vielleicht, das sei eine schlichte freundliche Geste. Doch du irrst. Es ist eine Falle. Ein trojanisches Freundschaftspferd. Womöglich wolltest du Ja sagen. Vielleicht hast du sogar Ja gesagt. Aber dann ist etwas passiert, nicht wahr? Es ist schon in Ordnung – du kannst darüber reden. Wir sind hier unter Freunden. Es ist uns auch passiert. Du wurdest gedemütigt. Weggefegt. Vom Tisch gejagt. Erniedrigt. Stimmt´s? Es stimmt. Denn siehe da, die Deutschen sind im Kickern richtig gut. Wenn dich einer fragt: «Willst du kickern?», dann meint er in Wirklichkeit: «Willst du, dass ich dich beim Kickern fertigmache? Du solltest mal den Übersteiger sehen, den ich drauf habe. Ich kann auch nur mit einer Hand spielen, wenn du willst? Und ich werde jedes einzelne Tor feiern, sogar das zehnte meines 10:0-Sieges. Du wirst Wochen brauchen, um dich von der Scham und Schande zu erholen.»

Nachdem du das gelernt hast, wäre die offensichtliche Lösung, nie wieder Tischfußball zu spielen. Wenn sie dich fragen, wirf einen abschätzigen Blick auf deinen Arm und erzähl ihnen von deinem schlimmen «Kickerellenbogen». Aber das wäre geschummelt. Wenn wir sein wollen wie sie und wenn sie so gut im Kickern sind, dann müssen auch wir Geschick und Können dabei entwickeln, kleine Männchen an Stangen zu bewegen. Ein erster Ratschlag: Fang nicht einfach an zu spielen. Das ist ein Anfängerfehler. Im Gegensatz zu einer weit verbreiteten Ansicht lernt man schwimmen nicht am besten, indem man ins kalte Wasser geworfen wird oder über Bord fällt. Um es den Deutschen gleichzutun, musst du zunächst lernen, wie sie zu denken. Fang also damit an, die Regeln des Spiels zu begreifen. Kauf dir ein Buch über erfolgreiches Kickern. So würden sie es machen. Streich dir wichtige Stellen mit Textmarkern an und schreib dich womöglich für einen VHS-Kurs ein – 31 Wochen, 40 Euro. Oder sieh dir Kickertechnik-Videos auf YouTube an. In stillen Momenten kannst du Übungen zur Kräftigung deiner Handgelenke machen. Tu so, als wärst du Karate-Kid: «Auftragen, rechte Hand. Polieren, linke Hand. Auftragen, polieren.»

Jetzt bist du bereit. Aber versuch nicht – ich wiederhole, versuch keinesfalls –, irgendeinen zufällig in der Nähe stehenden erwachsenen Deutschen herauszufordern. Das wäre so, als würdest du Jesse James zum Revolverduell oder Salvador Dalí zum Malwettbewerb fordern. Fang erstmal mit einem kleinen Kind an. Vielleicht einem Kind mit nur einem Arm oder anderen körperlichen Einschränkungen – einem Kind zum Beispiel, das noch nicht groß genug ist, an die Griffe heranzukommen. Dieses Kind wird dich zwar, wenn es über fünf ist, schlagen können, aber immerhin wirst du mal den Ball berühren können – eher zufällig als gewollt schießt du womöglich sogar ein Tor. Das ist wichtig für dein Selbstbewusstsein. Von diesem Startpunkt aus kannst du das Alter deiner Gegner allmählich erhöhen – und ihr Handicap verringern –, bis du tatsächlich bereit bist, die Kneipenherausforderung irgendwelcher (wahrscheinlich männlicher) deutscher Jugendlicher anzunehmen. Natürlich wirst du gründlich verlieren. Das ist ausgemacht. Aber vielleicht wirst du dich nicht vollkommen lächerlich machen. Kann sein, dass sie dich ein Eigentor erzielen lassen. Und wenn sie dir hinterher die Hand schütteln, wird ihr Lächeln womöglich nicht allzu mitleidig sein. Auf mehr kannst du nicht hoffen.

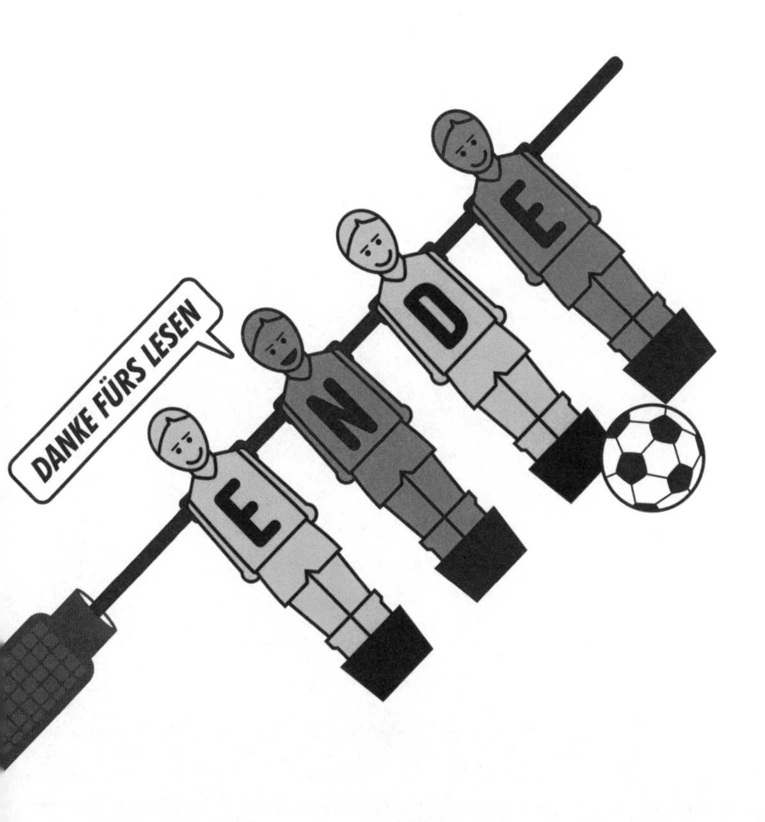

With his first book, Adam Fletcher helped more than a hundred thousand locals and little *Ausländer* navigate the quirks of this charismatic land. Now he's back with fifty new and advanced integration steps that explain the sticky friendship glue of *Kaffee and Kuchen*, the educational superiority of wood, and the rituals of the German *Weihnachtsmarkt*. You'll learn how to blame the weather for most of your ailments, how to survive a visit to your local *Baumarkt*, why Germans take their kitchen when they move, and why you keep losing to them at table football. Adam Fletcher's book is the ultimate, irreverent love letter to a nation that has got so under his skin.

ADAM FLETCHER

is a thirty-three-year-old, bald Englishman living in Berlin, Germany's poor but sexy *Hauptstadt*. One of the country's most enthusiastic students, he's acquired several diplomas in recycling, potato preparation, and *Schlager* singing. In 2013, C.H.Beck published his bestseller *How to Be German in 50 Easy Steps*.

ROBERT M. SCHÖNE

is a German graphic designer, illustrator and hermit hiding in a cave in the picturesque town of Pirna, Saxony. Since the first part of *How to Be German* was published, he's tried hard to get a "real" job. He still flat out refuses to wait at the red *Ampelmännchen*.

ADAM FLETCHER

HOW TO BE GERMAN

IN 50 NEW STEPS

A GUIDE FROM ADVENTSKRANZ TO TJA

With illustrations
by Robert M. Schöne

C.H.BECK

Original edition

Typesetting: Druckerei C.H.Beck, Nördlingen
Printing and binding: Pustet, Regensburg
Cover illustration and cover design: Robert M. Schöne
Printed in Germany
ISBN 978 3 406 69869 9

www.chbeck.de

INTRODUCTION

Welcome back, my little *Ausländer*.

I've been watching you these past few years. You've integrated very well, indeed. You're a credit to this fine nation, blending inconspicuously amongst its *Dichter*, *Denker*, and *Döner*. You're separating your plastic from your paper and your *Akkusativ* from your *Dativ* with great aplomb. As a result, you might be surprised to hear from me again. *We're done, Adam, aren't we? I've integrated your first fifty steps into my Alltag. You should see how many ways I can prepare potato, Adam. How long it's been since I drank liquid that didn't fizz. How many new qualifications and insurances I now have. I never resist a chance to klugscheiß...*

Not so fast.

The work of cultural assimilation never ends. It's a lifelong commitment. Just when you think you've got a handle on a nation's psyche, it squirms out of your grasp and runs off to reinvent itself once again. This is especially true here, in our beloved fatherland. It's only been three years since *How to Be German 1* took its place on the bestsellers list, and yet already so much has changed:

1. In a desperate attempt to re-brand themselves as anything other than efficient, frugal engineering marvels, the German government initiated some of the most spectacularly inept development projects in recent history—namely *The Hamburg Philharmonic* and *The BER Airport*. Collectively, these projects are years and billions over budget. An expensive anti-PR initiative, some might say, which perhaps tells you how being seen as the planet's most *ordentliche* people can really get to you after a while.
2. Deciding to kick itself while it was down, Germany then

crashed the world's faith in its auto industry. The home of car makers, car lovers, and carnivores learnt that Volkswagen had been cheating on its emission tests, deliberately over-poisoning the *Umwelt*. The response was, well, mostly bafflement. We put down our Bionade, finished sorting our *Altpapier* from our *Plastik* and looked on, confused as to why this sort of nonsense was happening here. To us. And not in the USA where it would at least have been expected.

3. In a remarkable act of unexpected reasonableness, Germany responded to 2015's humanitarian crisis (in which so many others lost their heads) by becoming the *wir schaffen das* nation. While other countries strafed to the right, building new walls and fences, Germany continued pulling them down, opening its doors, tents, and (most) of its hearts as a million new citizens arrived—citizens attracted to the strong legal and social systems, quality of life, lack of devastating civil war, and Bielefeld.
4. Germany's far right, largely in response to this sudden influx of new, often bearded *Mitbewohner*, mobilised itself on the streets of Dresden under the banner of PEGIDA, and did some marching. Marching that then spread out to other cities, towns, and social media, where, ironically, it did succeed in exiling something—cute cat videos and selfies from our previously less politicised Facebook timelines. It got serious. There was hate. Lots of hate.
5. Angela Merkel was voted *Time* person of the year. The *New York Times* said, "There's a new can-do nation. It's called Germany." The *Economist* trumped that with, "If a country can ever be said to be good, Germany today can." *Außenpolitik* clashed with *Innere Angst* as eighty million Germans were left bemused by this sudden, un-forecasted praise tsunami, assuming it would pass and they could return once again to the more comfortable position of repentant former bad guys.

In short, it's just as fascinating a time to be trying to under-

stand Germany as when the first book came out. Actually, even more so, since, with the basics already covered in book 1, we're free to cancel the holiday to *Malle*, kick off our Jack Wolfskin shrousers, put down our cold glass of *Apfelsaftschorle* and swim out from the shallower Teutonic stereotypes into the darker, murkier, deeper waters of the German psyche. Accordingly, the fifty steps that follow are a little more complicated and subtle than those of the first book. Maybe a few less of the natives will admit to them. But they're all there, if you look closely and prod a little more forcefully. After all, we're not *Anfänger* anymore, *Ausländer*. This is the *Profi* edition. It's time to step it up a bit.

Don't worry, *wir schaffen das…*

P. S. Oh, and Germany also won another major football tournament! A little bit greedy now, guys.

1. POKER FACE

I would never say that Germans are less emotional than other nations. To typecast eighty million people like that? Never. Absolute no-go. However... now, wait, hear me out... while Germans have emotional lives just as dramatic, fantastic, and varied as anyone else on the planet, I would say that they're much less inclined to show it via their faces. The German *Nationalgesicht*, if there were such a thing, would be a poker face—a restrained expression that gives away as little as possible. If the eyes really are the windows to the soul, the German window comes equipped with *Rollos*.

It's not that Germans don't smile, or gesticulate with their hands when lost in explanation or emotion. They just want those physical expressions—when they do bring them out of the bag—to have an impact. If everyone just went around giving smiles out *total kostenlos* because they've found a euro on the ground, or it's only two days until the weekend, or they are thinking about a loved one—well, that could weaken the whole emotional economy! People might begin smiling at even the smallest provocation and everyone else would, in turn, be forced to keep up, and that could trigger Hyper Emotion Inflation. There's been more than enough hyper-inflation in this country already, thank you very much. We might become Italy, where buying a loaf of bread requires a fifteen-minute-long mime performance. No, that won't do. To be German is to be an M&M—hard on the outside, soft in the middle.

Of course, all this might be a problem for you, what with your *Migrationshintergrund*. Rein it in, buddy! Because living here is awesome, you might be tempted to show that by turning your mouth up at the edges, or widening your eyes in a commonly accepted display of joy, wonder, and happiness. Don't, *Poker Face*.

2. FIND THE BEAUTY IN BREVITY

Brevity is not just about the face. While some cultures might rush to fill their sentences and silences with inane chatter, here, people have realised that there is a certain noble beauty to brevity. Just because you're out with your *Ehepartner* in a restaurant

A GERMAN WORD FOR...

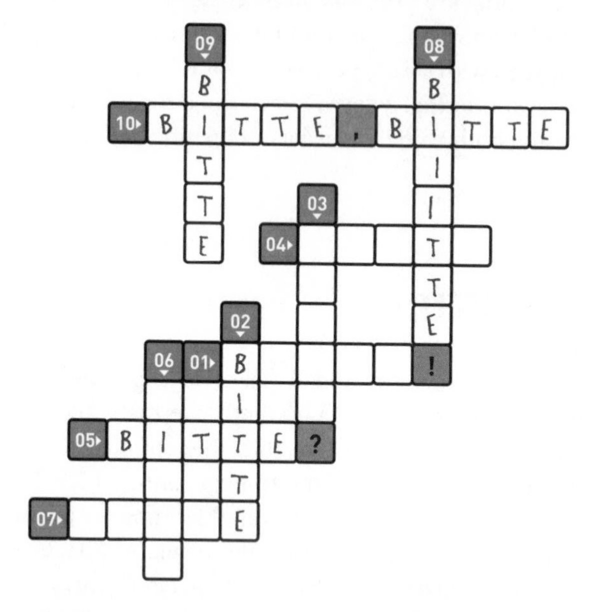

ACROSS

01 ▸ Oh, it was really no problem at all!
04 ▸ Knock yourself out.
05 ▸ Pardon?
07 ▸ After you.
10 ▸ The pleasure was all mine.

DOWN

02 ▸ Go ahead.
03 ▸ I'm sorry?
06 ▸ Here you are.
08 ▸ Please stop that!
09 ▸ Please.

doesn't mean you have to talk to each other. What have you to say that you've not already said? Exactly. Nothing. Just because you have had a feeling, it doesn't mean you should automatically feel a need to share it. Everyone has feelings. Big deal. See someone you know in the *Hof*? Don't have an awkward conversation about the weather. Just "*Guten Tag*" them and get on with your day. So what if they're your next-door neighbour? There will be plenty of other chances to talk to them then, won't there? You might have heard the English expression "loose lips sink ships." Here, it's more like "loose lips sink *friend*ships."

Because words are precious, don't cheapen them with polysentence-filla. Short and sweet is fine. If there's not enough time for that, just go with short. Short and sour usually also works, in case you're wondering. I could say more, but really, why? Let's stop here and both enjoy the beauty of brevity. *Ende der Diskussion.*

3. DO IT YOURSELF

While living in New Zealand, I heard of a popular Rent-a-German-Handyman service. Apparently, Germans are so much better at DIY than anyone else that this company relocated them all the way to New Zealand to help confused Kiwis, who don't know their monkey wrench from their monkey business.

It's now time for you to get just as skilled up. At first, German hardware stores will be scary places for you. Don't worry—that's perfectly normal. You'll think you can just nip in like they do, and quickly grab a *thingamajig* to go on the end of the *whatdoyacallit*, and be back in time for *Dschungelcamp*. No, beloved migrant, that's not how it's going to be. Germans are *Profis* at this; you're still an *Anfänger*. You're going to wander in, your eyes aghast in fear, your mouth open in wonder as you're pre-

sented with the German Temple of Excessive Specialisation. Where you think there will be a dozen or so screwdrivers, more than anyone could realistically ever need, you're going to find six hundred. Being a foreigner in a *Baumarkt* is a bit like being Kaspar Hauser on the first day outside his cubbyhole. You've no idea what's going on and you don't even have the correct categories in your brain to store the things you're seeing. To borrow a term from Donald Rumsfeld, visiting a German hardware store is not taking a leap into the unknown, but into the "unknown unknown," where the limits of your DIY knowledge really do prove the limits of your *Baumarkt* world.

So what do you do? Well, wandering aimless amongst the aisles, you'll quickly realise you need help. So you'll look for a staff member. You won't find any. There are none, anywhere. Germans don't need them. They know what they're doing. Hours pass. Near an aisle containing six thousand showerheads, you begin to weep softly. You only wanted a *thingamajig* for the *whatdoyacallit. Dschungelcam*p ended hours ago. You've no idea who got forced to eat a kangaroo's testicle. So you stumble back towards the exit, emasculated and hungry. This, in case you are wondering, is why they put sausage stands outside—sustenance for the lost and the damned. Next to you, a confident German person with perfect posture will coldly say, "*Vorsicht*" as they brush past you, expertly navigating a flat bed trolley full of enough parts to rebuild the ark.

What you will hate about these stores: is everything. Absolutely everything. Perhaps you've been raised, as I have, so that when you need something done, you pay someone with life skills to do it for you. This means you acquire no new life skills, sure, but you also get no new blisters. It's a trade-off, the ethics of which you can happily mull over while you're lying on the couch with your feet up. However, we live here now. Surrounded, everyday, by people who know how to put up shelving. People who installed their own kitchens. People who could write the

book on *thingamajigs*. If you want to win their respect, you need to stop hiring help the second a lightbulb blows.

Moving home? Don't hire a rental company—they're not trustworthy. Strong-arm all the people you've ever met—and a few nearby strangers—into a chain that stretches from the back of the van (which you've also borrowed from a friend) all the way to your doorstep. Laying some flooring? You know what to do—do it yourself. How hard can it be? You only tread on it. Gravity is on your side. Installing that new kitchen? Hold a weekend *Kücheneinbauparty* where you and a few German pals build it—presumably for fun, since you only have to pay them in beer and pizza, which seem to work as an alternative German favour currency (like a very lo-fi bitcoin).

This might all seem very intimidating at first, but your new citizenship doesn't ask that much of you, does it? A little *Ordnung. Sonntagsruhe. Kaffee and Kuchen.* No, not really. So do this *bitte, bitte*. If something needs doing, *do it yourself.*

4. SUFFER THIRD REICH FEVER

No doubt you've got sick in your homeland many times, and so had all the usual, boring illnesses that it offers. Let's spice things up and infect you with a couple of exotic, local *Krankheiten*. We begin with *Third Reich Fever*.

The great irony of the recent smash bestselling book *Er ist wieder da* is that someone thought *he* ever left. Sure, his body, regime, and politics died, but the interest in the pencil moustachioed one has always remained very much alive and kicking. If there's one *Reich* that was never quite *reicht* here in Germany, it's *das Dritte Reich*. A German friend summarised the phenomenon well: "I know more about Hitler than I do about my grandma."

Writers and journalists everywhere know about this endur-

ing national fascination and that they can fill up any slow news week with the latest revelations of Hitler's golf instructor, or Hitler's dog walker, or Hitler's golf instructor's dog walker. In other countries, sex sells; here, Hitler sells. Sex sells quite well, as well. The two are not mutually exclusive, of course, although next week some expert will probably find (or write) a secret Eva Braun diary that suggests they were. Your job, as a Teutonic Trainee, is to show the same symptoms as everyone else, which is to display an outer apathy for all things WWII, maybe tutting or rolling your eyes when it comes up again (and again, and again), while being physically unable, in secret, when you think

no one is looking, not to click on these articles—thus perpetuating more of them and helping spread further the very infectious *Third Reich Fever*.

5. OSTALGIE-KAPITALISMUS-KONFLIKT

Back in 2009, I answered an advert on Leipzig University's *schwarzes Brett*, an even more lo-fi German Craigslist. The ad was from a man selling bicycles. I took my German girlfriend, Annett, with me, because I'm wildly incompetent and she isn't. We arrived at the address, which was little more than a dilapidated shed. Five minutes later, a giant appeared from a nearby house. He was more than two meters in height, and leaned like an Italian tourist attraction. His tiny eyes and gruff demeanour were those of someone who had just woken up from a long hibernation.

Inside, we found a ramshackle work shed and, as promised, a few bicycles. The first was red and about the right height. I lifted it up and spun each wheel in turn. The man looked at the bike with utter disgust.

"This made-in-China *Scheiße*," he said, taking the bike off me.

"It's okay," I said. The man kicked the tyre of the bike in response. "This is not a good bike," he said. He manhandled it to the back of the shed. Then began a long rant. "We valued things in the GDR. Built things to last. Not like now. Now? Use it, discard it, buy it new. Fix it? Fix it! Don't make me laugh. *Kapitalistische Kackscheiße*."

"Does he actually want to sell these?" I whispered to Annett. We'd both carefully retreated a step or two backwards, towards the safety of the door.

"It's not that everything was perfect," he continued. "But we respected things then. We made things to last."

"Can I try that bike?" I said, pointing to the green racing bike currently being told off. "It looks in good condition."

"Good condition," said the man, laughing. "No. It's not."

When eventually no bikes were left for sale, we thanked the man—even though he had wasted our time and fundamentally misunderstood the concepts of supply and demand. On the walk home I asked Annett what had just happened.

"I think this man is suffering," she said, choosing her words cautiously, "from *Ostalgie*. After the wall fell, while life improved for most, a few could never adjust. Their qualifications, their life experiences—overnight much became worthless. Some managed to cope; others just dropped out of everyday life."

Now, observant reader, this is not a step about *Ostalgie*—the nostalgic feeling that you can find amongst a few people of the East whose memories of the GDR have tinted ever rosier as time has passed. I don't think it's common enough to warrant a step in this book, as fascinating as it is. No, this step is about a related condition I call *Ostalgie-Kapitalismus-Konflikt*.

I know friends' parents who were at the Monday demos back in 1989, and so part of the groundswell that led to the collapse of the Berlin Wall. They look on disappointed at the increasing commercialisation of the GDR, their disappointment only increasing with every GDR-themed hotel, shop, restaurant, and museum that opens. These businesses are passed each day by ever more tourists on their *Trabi* safari tours. Everyone from Germans and foreigners living here, to tourists jetting here for a long weekend: all have to manage this inner conflict—the conflict that comes from knowing the GDR was a totalitarian state. A regime that restricted human rights, like freedom of speech and travel. Everyone knows it's wrong to commercialise such a state and trivialise it down to some tourist trinkets. However, at the same time, that key ring with the *Ampelmännchen* is really cute. That would make a great gift. What's over there, Club Cola? Awesome. And Spreewalder Gherkin! Amazing. Oooh,

the *Sandmännchen*! Their *Sandmännchen* was way better than ours. I'll get the plush toy. You know, as a gift. Who for? *Ehm. Hmm…*

6. GET REPEATEDLY ASKED ABOUT DAVID HASSELHOFF

While I appreciate your efforts at assimilation, you must be warned that, as nationalities go, being German is quite problematic. There's the dark history. There's the difficult language that few others speak. There's the stereotypes about you being serious and humourless. There's *Scooter*. However, the hardest part of being German is not understood by most people—it's always being asked why your nation loves David Hasselhoff so much. Germans get *The Hasselhoff Question* regularly when they travel abroad. It's as if they should, singlehandedly, atone for all the musical sins of the 1980s. That's a heavy cross to bear. Here's a typical conversation on the topic:

Foreigner: "Wolfgang, why do Germans like David Hasselhoff so much?"

German #1: "I don't know."

Foreigner: "Well, do you like him?"

German #1: "No. I think Christian does. Christian, you were a big David Hasselhoff fan back in the day, right?"

German #2: "No. I thought you liked him?"

German #1: "Me, no. I never liked him. Arno?"

German #3: "No way!"

German #1, #2 and #3 in unison: "Well, who liked him then?"

All shrug.

It's unclear where exactly this rumour—that David Hasselhoff is huge in Germany—first originated. I've done a little amateur sleuthing of my own, interviewing all the main suspects, trawling the dusty library shelves of YouTube, and I've

concluded that it came from… David Hasselhoff. I'll admit that there is video evidence that he did once perform in Germany, but I suspect this video to be fake. I think he has spliced himself atop the body of Bruce Springsteen, from his legendary 1988 East Berlin concert. That's right: *Onkel* Dave's been trolling Germany from afar for decades. Whenever his newest TV show flopped, a record deal got cancelled, or he failed to get a table in that hip new restaurant, he would shout, "DO YOU KNOW WHO I AM? I'M HUGE IN GERMANY!" before muttering about how he "single-handedly destroyed the Berlin Wall." History, always a pretty flawed observer of current events, decided that, well, if he kept saying it, it must be true, right? The folklore that David Hasselhoff was huge in Germany entered popular mythology, alongside the Loch Ness Monster, Chemtrails, or the fact that you can see the Great Wall of China from space.

I mean, David, you can't even spell *Hof* right! Come on, this is basic stuff. Huge in Germany? You haven't been huge anywhere, besides your own ego, for quite a long time. You can probably see that from space. If Germans are really "looking for freedom," I think it's mostly freedom from the idea that they ever liked David Hasselhoff. So, please, don't ask them about it.

7. KAFFEE AND KUCHEN

Casual observers of this country's daily life might conclude that the holiest time in its calendar is either Sunday 8:15pm, or the entire month of December. I'd argue there's another equally important sacred ritual that you must observe, whenever possible—*Kaffee and Kuchen. Kaffee and Kuchen* is exactly what it sounds like. You drink coffee and you eat cake. Ideally, at 3pm. But it's also more than that. It's a sacred friendship ritual, a ritual that can occur with even the slightest of provocations. Not just

KK
FRIENDS SERVE FRIENDS
KAFFEE
AND
KUCHEN!

in the home, of course, but also in the office, assuming there is something to celebrate. And often even if there's nothing to celebrate—*Kaffee and Kuchen* already being its own self-contained celebration of, you guessed it, *Kaffee and Kuchen.*

So, as an aspiring Kraut, whenever guests arrive at your door, you are obligated to invite them in, offer them house-shoes, and then seat them in the kitchen, where they will expect to be served K&K. It doesn't matter what time it is. What's that, *Ausländer*? You don't have any cake? Check again. In the fridge. At the back. Yep, seven different types of delicious German cake have appeared, as if by magic. It seems the gods of *Kaffee and Kuchen* have performed another miracle. Everything is as it should be.

8. NORMUNG

I recently attended a serendipity event where anyone could come and present on a topic of their choosing. A portly, bald, bespectacled man approached the stage. From his leather satchel, he retrieved a giant, metal pointing stick that, when unfurled, was taller than him. He used this to point at one of the most elaborate PowerPoint presentations I'd ever seen. This man was an employee of something called *Deutsches Institut für Normung e. V.* That's right, there is a German Institute for Norms. He then spent the next twenty minutes talking about one specific DIN (norm) that he'd helped create for *Schulranzen* (children's backpacks). We got the full history of the DIN's development. What follows is so specific, only the German language can do it justice, so I've left it untranslated:

1987—1989: *Fluoreszierendes Gelb erlaubt*
1989—2001: *Spezifische Rückstrahlwerte verdoppelt*
2001—2011: *Anleuchtung Flächenanteile jeweils unter 0°, 45° und 90°*

The man even showed us a *Normtabelle* created by the institute that regulated how much kids could carry, depending on their age and height. His talk was simultaneously the single most German thing I'd ever seen and also the best. It was a great shame that this DIN, his life's work, his *magnum opus*, had not even been adopted by bag manufacturers. He got a little misty-eyed when telling us about this, a conspiracy as far as he was concerned. "The manufacturers tell us that parents don't want it. That kids don't want it. They prefer a pretty backpack with butterflies on it. Well, I don't know what parents they are meeting, but I've never met one that didn't care about child backpack safety."

No one laughed when he said these words. Nor did they find anything comical about there being an institute devoted to standardising things. This should explain quite a lot about your new home.

9. VERSCHLIMM YOUR BESSERUNG

In your attempts to *norm* the everyday things in your life, it's possible that you might get lost on the winding road to system perfection. For example, one of my German friends decided to throw out all his socks and bulk-bought fifty pairs of identical black ones. A massive time saving, he was sure. A brilliant life hack to save all that time matching socks. However, because of his genetic *Geiz*, he bought low-quality socks in bulk. These socks then quickly faded, but didn't fade equally, because he wasn't wearing them equally, which left him back where he started—matching socks, or wearing differently shaded socks, having thrown out a lot of perfectly good ones and paid to replace them with questionably superior ones. There is a lovely German word for this type of situation: *Verschlimmbesserung*. A worse improvement. I think they need a word for it because they're pretty good at it.

Why? Well, institutes like the *Deutsches Institut for Normung e. V.* (which I still can't say without laughing) always have noble intentions. Always mean well. However, in their execution, they can be too exacting, too demanding, creating a practicality monster that rampages through German society in its high-visibility jacket, measuring, judging, clausing, sub-clausing, contracting, securing, and, in the end, *over-complicating everything*.

There's a common joke that says if God were German, we wouldn't be talking about just ten commandments, we'd be talking about violations of *§ 259 Absatz 4 des 8. Gebots*. There's some

truth to that joke. It speaks to Germany's steadfast belief in systems—a belief that, I think, often remains long after those systems have stopped working for them. Long after their planned *Verbesserung* has become a *Verschlimmbesserung*.

10. DON'T GO TO OKTOBERFEST

Recently, my friend Sarah told me about her work visit to Amsterdam. As part of the conference she attended, fake Dutch pirates brought out trays of raw herring. She said the herring smelt rotten. It's tradition to eat this herring whole, they told her. Just pinch your nose, tip your head back, and drop the fish down. Now, these fake pirates were swashbucklers, but not savages, and so they'd also prepared shots for afterwards and put out buckets on the floor for people to throw up in. Yes, you read that right—to throw up in. Sarah, not wanting to look like a total stick in the mud, pinched her nose, tipped her head, and dropped the fish down. She didn't throw up, but several other people did.

When I asked why she did it, she said, "You know, when in Rome..."

"WHEN IN ROME?!?! Are all people in Rome extremely gullible? Is common sense outlawed there?" I asked.

Now, I do not believe it is an ancient seafaring Dutch tradition to eat a rotting fish. I think it's something event organisers and historians and other such charlatans have made up, to have a bit of a laugh at the expense of gullible tourists. These people now watch every night from the back, their noses pinched, cackling with delight at what silly foreign people will do for a supposedly Authentic Experience™.

Which leads me to *Oktoberfest*. Can you see where this is going?

Oktoberfest is, in many ways, the raw herring of German "tra-

ditions." It smells bad. It's highly likely to make you throw up. The prices are rotten. The people telling you it has got a rich cultural history are the ones trying to sell you that rich cultural history in the form of €10 litres of beer. Of course, in my first years here, I didn't know this. I thought *Oktoberfest* was the pinnacle of Germanness. A rite of passage, like your first holiday on the Baltic Sea, or getting a *Steueridentifikationsnummer*. So, every September, I'd get all excited and bug my newly acquired German friends to take me to *Oktoberfest*. Maybe you did too, when you first moved here. Silly, silly us. My friends never took me to it. Instead, they'd look down at me, like I was some simple, naïve child showing them a crude drawing of a horse I'd made in red crayon. If they did bother to answer, they'd say something like, "Not if you paid me," or, "Like I need an excuse to dress funny and drink beer. Ever heard of the weekend?"

You see, foreign friend, while *Oktoberfest* is revered internationally as the quintessential German experience, domestically, it's seen more as the quintessential tourist experience. Bavarians can go—if they've got nothing better to do. Being Bavarian, they've no positive reputation to lose. But not you. Your standards must be higher if you hope to complete your *Ausbildung* in being German. So this step is a pretty easy one, really. You have to do nothing. Absolutely nothing. Specifically, you have to do nothing between mid-September and early October. In Munich. In a *Zelt*. The rest of the world has it wrong. The true German *Oktoberfest* tradition isn't attending it, it's avoiding it.

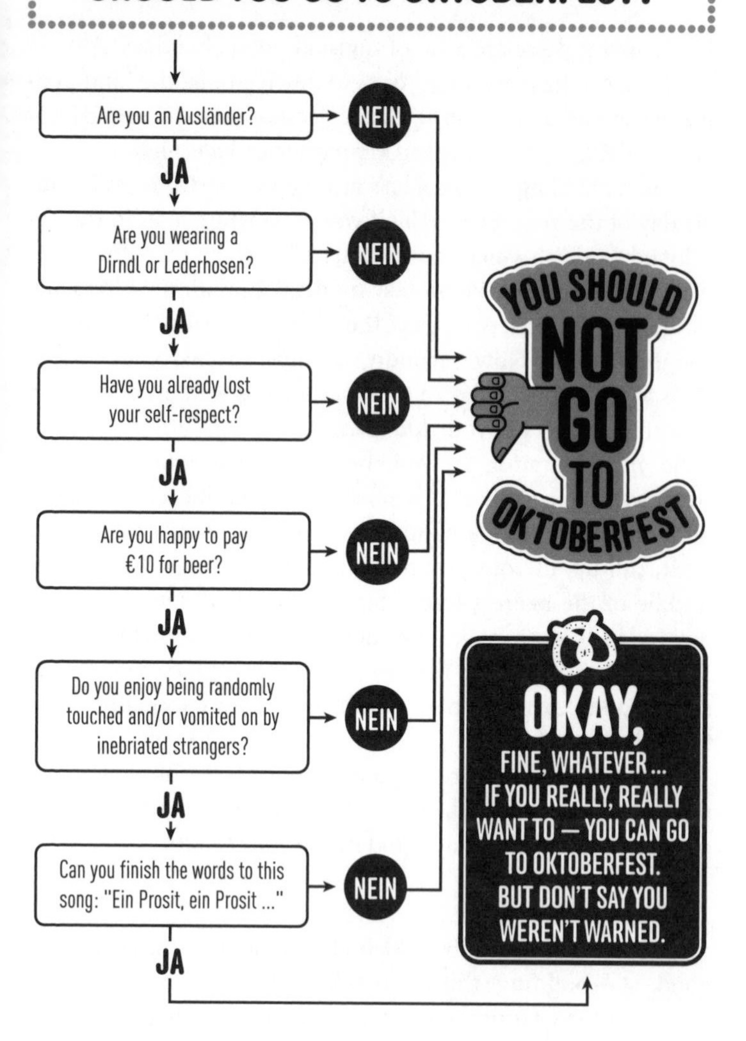
SHOULD YOU GO TO OKTOBERFEST?
Are you an Ausländer?
NEIN
JA
Are you wearing a Dirndl or Lederhosen?
NEIN
JA
Have you already lost your self-respect?
NEIN
JA
Are you happy to pay €10 for beer?
NEIN
JA
Do you enjoy being randomly touched and/or vomited on by inebriated strangers?
NEIN
JA
Can you finish the words to this song: "Ein Prosit, ein Prosit ..."
NEIN
JA
YOU SHOULD NOT GO TO OKTOBERFEST
OKAY,
FINE, WHATEVER ...
IF YOU REALLY, REALLY WANT TO — YOU CAN GO TO OKTOBERFEST.
BUT DON'T SAY YOU WEREN'T WARNED.

11. GIVE MEN THEIR OWN OFFICIAL HOLIDAY

In Germany, there are a lot of unusual public holidays. Almost anything can have its own *-tag*—so much so that the kind people of the *Bureau of Feiertage* have decreed an extra special day off: *Herrentag* (also known as *Männertag* or *Vatertag*).

This is amusing because, let's face it, *Männertag* is every single day of the year. Especially if you are a white man in the developed world—which the majority of German men are. That's playing the game of life on easy mode, with unlimited lives and a billion gold coins. Are you of the male persuasion? If so, firstly, congratulations! Now, secondly, we must discuss your obligations for this special day of celebration. You want to do it right, to win the respect of your *Kumpels*.

So, in preparation for your big day, you should assemble a small wooden cart that you can attach to your bicycle. Put a flag on it and make it look handsome, but also casually assembled. Next, call up all your guy pals and agree to meet them in the middle of the nearest forest. Start early—you've only got one day to do this, so make the most of it. Pro tip: drink a little *Frühstücksbier* at home first, to help set the mood. Next, fill up that wooden cart with beer, climb aboard your specially modified bicycle, and go.

Have you arrived? Are all your friends there? Okay, now this next part is complicated, so pay attention: take a bottle from the cart, open it, and put that liquid inside your mouth.

Repeat.

That's it.

Herrentag is not really a celebration of all the things men are good at—building things, breaking things, and forgetting things. Instead, German men tend to treat it as a giant egging on contest. Having worked diligently—albeit it with limited success—to keep their natural stupidity under wraps the other 364

days of the year, they then unleash all of it in one highly concentrated woodland drinking session.

Are you a woman? Firstly, commiserations. Secondly, advice for *Herrentag*? Well… erm… hide.

12. DON'T CELEBRATE REUNIFICATION DAY

Of course, it's not just men who get their own special holiday. There are other important ones that we need to discuss. Women also have their own day. It's called, logically, *Frauentag*. However, it's not an official *Feiertag*, which only goes to prove that a woman's work really is never done. Also, that the world is unfair. Probably you knew that already. You can demonstrate about it, if you like, on May 1st, which is—regardless of gender—International Workers' Day, and a public holiday in Germany.

While you're welcome to get excited about *Frauentag* and May 1st, there is one holiday that you must not, under any circumstances, show enthusiasm towards—October 3rd's *Reunification Day*. Just let this one slip quietly by, like everyone else does. People are happy for the day off, sure, but there's little celebration about the fact that *Ossis* and *Wessis* can now attend the same celebrations (assuming someone is throwing one). You can be sure someone

will be throwing something, however—most likely *throwing up*—when November's *Karneval* rolls into town. This one begins punctually at 11:11am on the 11th of the 11th month. Who said Germans were anal? Those living in a Karneval area will probably get *Rosenmontag* off, where you're expected to don fancy dress, parade, and shout "*Helau*" and "*Alaaf*" at each other. No, I don't understand it either. *Karneval* is full of such rituals, secret songs, and other assorted in-jokes, which work as citywide passwords unlocking deeper levels of revelry.

13. DON'T OWN A MICROWAVE

Most days, after school, I would come home, take some microwave fries out of the freezer and zap them into life in just sixty seconds. If it couldn't be microwaved, it didn't get eaten in our house. Jacket potatoes, or even entire ready meals could be defeated in just a few minutes more. Like most British people, armed with our Magic Metal Cooking Box, we substituted eating well with eating often. I'm not sure I could have made it to adulthood without a microwave.

No more! Not here! Not you! Not me! Don't even think about it!

That's right, while your German friends' kitchens will be stocked to the rafters with 1001 different types of *Tüten*, *Pfandflaschen*, an un-turn-off-able radio, three different grades of fizzy water, and vast arrays of helper gadgets, there is one thing they will not contain—a microwave. After years of indoctrination from my German friends, I too have come to accept that microwaves are devil Fukushima Machines of Instant Radiation.

I've tried to work out what it is that makes the locals here so fearful of microwaves. I've come to the conclusion it's not the machine itself, it's what it represents—*excessive convenience*. In

England, I was never more than three feet from a pre-made sandwich, whereas here, I'm supposed to buy all the ingredients and prepare it myself. Not only that, but those ingredients should not be purchased from one big supermarket. Instead, the weekly shopping should be spread between the *Bäckerei*, the *Fleischerei*, the *Obst-und-Gemüse-Laden*, and—for bonus points—the *Bio-Supermarkt*. Why, you might ask? Well, silly, because the logic of this land dictates that specialism is automatically better than generalism. Not only that, but small business automatically trumps big.

So what's the problem with microwaves? Well, they violate a final but equally important rule—slow and natural beats fast and artificial. Microwaves are fast and artificial. They're not trustworthy. If we blindly give in to them and the convenience they offer, we're on a slippery slope to becoming those overweight people from *Wall-E*, floating around in our hover-chairs, watching *Tatort* reruns while the world collapses around us. Of course, microwaves are in use in the kitchens of restaurants and *Imbisse* throughout the country, but these black boxes of nuclear science are kept hidden behind closed doors, away from unsuspecting German eyes and mouths—mouths that can pretend their *Boulette* has been warmed using traditional, slow-cooking methods, perhaps spit-roasted over an open fire.

14. TJA

There's a scene at the climax of nearly every action movie where one person must martyr themself to save everyone else. The movie's other remaining characters attempt to convince them there's another way, it's not too late, they will help them…

"Go on without me," our (probably wounded) hero says, bravely. "Go on—GO!"

"No! I won't ever leave you," another character replies, their face contorted in agony as they grip the martyr by the shoulders and attempt to pull them towards the closing door.

"Save yourself," says our hero. "It's too late for me."

Eventually, the other character does see reason (and our need for a somewhat happy ending). They declare love for the martyr before leaving them and jumping through the automatic door, or into the helicopter, or over the pit of fire, with not a second to spare. Sad music plays. Behind, we see a giant explosion. We know what this means. *Goodbye martyr.* What we almost never see, however, is the exact moment when the martyr is left alone. When the full gravity of the situation has revealed itself to them. That they have, indeed, sacrificed themself. That they are about to die. If we did see this person, the word they would say is, "*Tja.*"

I don't think there's any word, in any language, that packs as much punch as German's three-letter monolith, *Tja*, expertly straining a thick soup of emotions into one expression of utter hopelessness and resignation. You've no doubt heard of *Welt-*

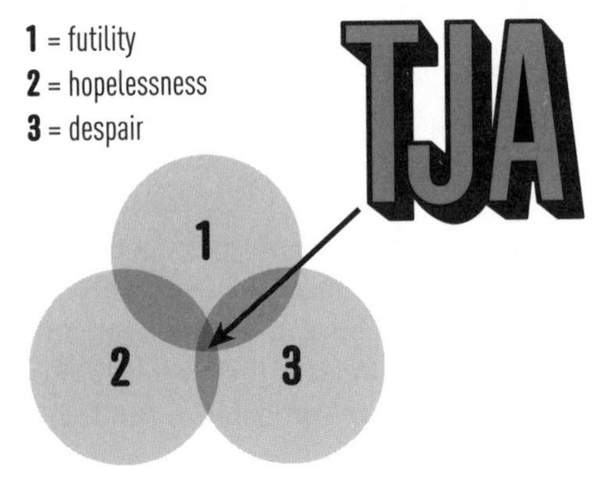

schmerz. Well, *Tja* is one notch higher on Maslow's Hierarchy of Great German *Angst*. *Tja* is *Existenzschmerz*.

This word is now yours. It's like being handed a live grenade. Use it wisely. Or don't.

Tja.

15. MAKE FUN OF AUSTRIA; FEAR SWITZERLAND

Once you've got nicely settled into your new home, it's time to peek over the garden fence and get a good look at the neighbours. Germany has quite a few of them. However, there are really only two that matter, and that have gotten under the cultural skin of this land: *Switzerland and Austria*. You've heard of a love triangle? Well, this is a hate triangle. Or perhaps, at best, an indifference triangle. Germany, Switzerland, and Austria are like three brothers in a bitter, century-long cultural inheritance feud. Think of Austria as the serious older brother from an earlier marriage. It uses antiquated words and has a smug air of self-congratulation at already having done everything first. Switzerland is the wayward middle child who has moved away, changed its name, created its own dialect, and told everyone it was adopted. Its true family? Either dead, or France—depending on who is asking.

Germany, the last of the trio, is your typical youngest child. Naïve, terrified of doing anything wrong, just wants everyone to get along, and tends to get all the attention. Accordingly, the older brothers resent it, don't want to play with it, and try to trick it. This is evidenced in the famous Beethoven for Hitler swap, an exchange so audacious and successful Germany still hasn't lived it down all these years later. Yes, they're quite the dysfunctional *Bruderschaft*. They might be one D-A-CH, but they certainly couldn't live under one *Dach*.

Your job, since you're now "in a relationship" with the youngest of the trio, is to always take its side. Look down on the Austrians for being old-fashioned yokels. Think of them like a Californian might of Texas. As for the Swiss? Be suspicious of them. The Austrians might do weird stuff in their basements, behind closed doors, but the Swiss do it above ground, in broad daylight. For the average German, there is something deeply shifty and troubling about Switzerland, even if they can't put their finger on exactly what it is. Something that won't last. As if it were not a country, but a pyramid scheme of xenophobic skiers. Skiers that have made it abundantly clear they don't like you, without ever saying why. Worse still, they think it's acceptable to charge you €15 for a sandwich. If you absolutely do have to go there, just treat the country as a giant open-air ATM. Nip to it to make a quick withdrawal in the form of some highly paid *Schwarzarbeit*. But don't form attachments there—that pyramid is going to collapse soon enough.

16. THE GERMAN CHRISTMAS

After a hard year spent trying to fit in, you probably need a break, right? Great. I've got just the thing. It's called *German Christmas*. You may already be experienced with *International Christmas*, which shares many basic commonalities—gifts, Jesus, family arguments. But do not relax, foreigner. For not everything in the German variety is the same. Here, Christmas is serious: not just family + capitalism. There are rituals, obligations, traditions, and markets to be navigated. Lots of markets. Ready? Let's begin...

German Christmas starts on December 1st. Then you get to open the first door of your advent calendar. STOP. What's that in your hand? Is it a mass-produced advent calendar that you

bought from *McGeiz* for €2? Oh dear. That's not going to cut it. For maximum authenticity points, your advent calendar should also be a DIY affair—a special family advent calendar that your parents made for you when you were four. My girlfriend, Annett, has such a calendar and returns it every January to her mum, who refills it and sends it back again at the end of November. It's adorable. The first Sunday in December also allows—with great ceremonial pomp (perhaps consider borrowing a trumpet)—the lighting of the first candle on your *Adventskranz* (wreath). These wreaths either hold four candles, or just one demarcated into four parts. You light it each week, and let it burn down the required amount. If you're going to have such a single candle, it's essential that you get distracted preparing *Kartoffelsalat* or browsing the latest news stories on *Spiegel Online*, and forget to blow it out, burning the whole advent on December 1st. It's as much a tradition as the candle itself.

The next exciting event in your German Christmas occurs on December 6th—*St. Nikolaus Day*. On this day, you get to leave your shoes out. I know you leave your shoes out every night and you get nothing for that. Well, tonight, that changes. If you've been a good little *Ausländer*, your old pal St. Nick is going to fill that footwear with chocolate! How cool is that?! If you've been a bad integrator, however—not practicing your irregular verbs, or forgetting which are *trennbar*—you'll wake to twigs or coal. Them's the rules.

Next up—assuming you've attended at least three different *Weihnachtsmärkte* (more on those in the next step) and baked at least one round of *Plätzchen* (German Christmas cookies)—you can proceed to your first German Christmas Eve! Are you excited? You should be. Why? Well, firstly, you get to open your presents on Christmas Eve already. A full day before patient lands. This does present a slight logistical challenge, however, because there is no night for Santa to spend delivering everyone's presents while they sleep. Therefore, on Christmas Eve, in

the early evening, get the family together and go for a walk. This short window of time is used skilfully by Santa to nip in and set all your gifts up under the tree. Not lots of gifts, like they would do in hypercapitalist countries. Just a small number of thoughtful presents, ideally made of wood.

Of course, opening all those presents is going to make you quite hungry. What will you eat on this holiest of holy days? Silly question: *Kartoffelsalat*, of course! The true national dish. Why do Germans eat potato salad on Christmas Eve? There are two

theories. Their theory is that this ritual harks back to Christmas Eve being a day of work, so you prepare food in advance that you can eat quickly that evening. The alternate theory—let's call it "My Theory"—is that they eat potato salad because they love potato salad.

No mention of the Grinch, you might have noticed. Worry not, he is alive and well in the stingy holiday allocation you receive. If *der Erste* and *der Zweite Weihnachtsfeiertag* fall on a weekend, you get no extra days off and have to go back to work on the Monday, as if it had been just another *stinknormales* weekend. Bah, humbug. Because there's nothing normal about a German Christmas. In fact, if you asked people, most would probably say it's the best time of the whole year. There's another reason for this, of course, a reason we have to talk about now—*Weihnachtsmärkte…*

17. WEIHNACHTSMÄRKTE

The humble German *Weihnachtsmarkt* is—along with cars, *Laugengebäck*, and passive aggressive notes—one of the most successful German exports. Somehow, somewhen, Germany acquired the worldwide monopoly on selling hot wine to cold people. As a native, your relationship to the *Weihnachtsmarkt* should be—to borrow an over-used cliché—love/hate. A single evening there can run the whole gamut of human emotions. From great excitement before you leave, to great disappointment when you realise everyone in the world is already there, standing in front of you, trying to get another *Schuss* in their *Feuerzangenbowle*. Things turn around again by the completion of your fourth drink, when a sort of wobbly, Zen oneness descends upon you. It becomes acceptable to hug strangers, sing *Schlager*, and purchase a block of shaped wood at four times its

real value. For a more nuanced understanding of how to behave throughout this important holiday ritual, I'll now refer you to this handy infographic. Study it. This is one you have to get right.

18. RESPECT THE EDUCATIONAL SUPERIORITY OF WOOD

My first niece, Isabel, is born. I am very excited. Annett and I travel for forty-five minutes across Berlin to go to some special, giant *Kinderladen* that Annett has researched (because specialism trumps generalism). It is one of those awful places that primarily market themselves on their size and are called something like *Kiddie Wonder Oasis Paradise 24 Land Xtra.* There are nine aisles devoted to hand puppets. After scouring just a few percent of it, I decide on the all singing, all dancing KIDDIE ACTIVITY CENTER 3000. It's huge and heavy, and I awkwardly shuffle with it towards the *Kasse.* I'm going to be one hell of an uncle.

Annett stops me as I pass the *Look, Everything's Made of Wood* aisle. "Is that some kind of Russian space station?" she asks, eyeing the Kiddie Activity Center 3000. I give her a quick tour of its multiple functions: "Lights, music, and here's a little book on an elastic cord with different textures on each page. This thing is pretty much Kiddie Crack, I reckon." She reaches out and pushes one of the buttons—music plays, lights flash in sequence, and a horn sounds. Her face scrunches up in disgust. "It's plastic. Cheap, nasty plastic. Why not get something like this?" she asks, picking up some simple wooden building blocks. She taps them, theatrically. "Wood, see?"

No music plays, no lights flash in sequence, no horn sounds. I see, but I'm far from impressed. "But it doesn't do anything!"

"Simple building blocks like this encourage imagination and practical skills. Don't you want your niece to grow up to be an architect or an engineer?"

"Of course, but the Kiddie Activity Center 3000 will help her do that, it's much more stimulating for her little yet undoubtedly brilliant mind."

Annett exhales loudly. "No, that sort of junk will make her grow up to have a job like... well... *you*."

I put the Kiddie Activity Center 3000 down on the floor, assuming I'll need both hands to strangle her. "What do you mean, have a job like me?! What's wrong with my job?!"

She turns her back and begins stacking the demo blocks into what I think will become a bridge. Her voice quietens. "Well, it's sort of *not* really, isn't it? What you have is a hobby that's gotten out of control."

"—"

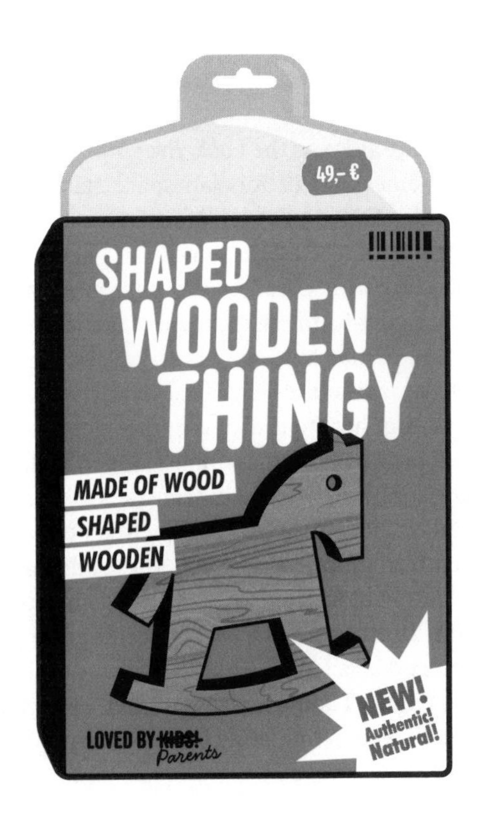

"You know those people you see sometimes at the traffic lights, juggling?"

"—"

"You're basically one of those + jokes."

"—"

"Is that what you want for your niece? Or do you want her building bridges and solving cancer?"

"But… I…"

Tap, tap.

"Like from a tree, see?"

19. FORECAST THE FUTURE WITH LEAD

With Christmas sorted and the educational superiority of wood firmly established, let's *rutsch* into *Silvester* and an interesting New Year's Eve tradition called *Bleigießen*. Now, you might well be used to estimating your odds of future success by using the historical data offered by your past. If, until the age of forty-five, you've not become wealthy or famous, statistically, you might conclude, it's unlikely to happen in the next calendar year.

Stop that.

You have no idea what's going to happen to you in the next year. No idea at all. Give it up. Futile. Your compatriots know this already, which is why they've stopped trying. Giddy on *Sekt*, they've discovered something much better, much more accurate, a kind of metal soothsayer that allows them to gaze into the future: *lead*. In the *Bleigießen* New Year's Eve ritual, small amounts of it are melted, then poured into cold water, forming a shape. This shape is then interpreted (liberally) to reveal the new year's fortune. I don't want to get into how exactly lead is able to predict the future. I'll assume smarter, peer-reviewed minds have already researched its rigorous science.

So we can focus, instead, on how to behave during this important ceremony. Your *Bleigießen* experience should proceed as follows:

1. Excitement—at the start of the ceremony, when you're presented with your spoon and lead.

2. Disappointment—when you fish the lead out from the water and find it has no obvious shape.

3. The Willing Suspension of Disbelief—when you compare your non-shape to the list of expected shapes that comes with the kit.

"It's a, hmm, a kind of lump? Is lump on the list?" you ask.

"No," is the answer.

"Stone?" "No." "Boulder?" "No." "Clump?" "No." "Football?" "No." "Head?" "No."

"I think it sort of looks like a fish, maybe? Like a fish's head? Is fish on there?"

"Yes. 'Kaum Erfolg zu erwarten.'"

"Actually, on second thoughts, it doesn't really look like a fish."

At this point you should take the list, read all the fortunes and then retrofit the desired one back to your non-shape.

"Ah! I see it now. It's so obvious! It's a fox. Look, there's the face. The bushy tail. This means I'll be 'both lucky and cunning.' Great!"

20. BE TERRIFIED OF MOULD

Everyone has at least one irrational fear. For some people, it's heights (*acrophobia*). For others, it may be clowns (*coulrophobia*), or spiders (*arachnophobia*), or investment bankers (*swin-*

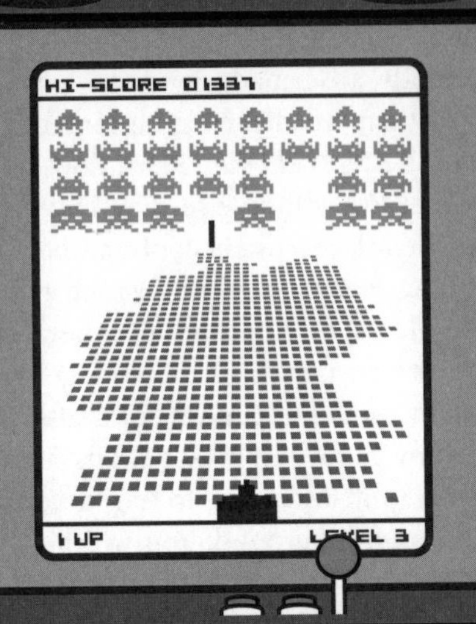
MOULD INVADERS
HI-SCORE 01337
1 UP
LEVEL 3

1€
2€
DEFEND GERMANY
FROM THE EVIL
MOULD INVADERS!

dlephobia). For Germans—and so, for you—it's mould (*wohnungsmycophobia*).

Mould affects them in roughly the same way that kryptonite affects Superman, robbing them instantly of all their awesome superpowers—philosophy, practicality, and rationality. They're reduced to freaking out and hyperventilating, whilst imagining anthrax scenarios of imminent doom. It's a strange thing to watch.

Recently, a German friend was looking for a new apartment. I asked them what their requirements were: Balcony? Central location? Attic? *Altbau?* "A window in the bathroom," was the response. Everything else they could compromise on. In another friend's apartment contract there is even a special section that states specifically for how long and how often the windows must be left open to air the apartment, even during winter.

Just as Germans think mould is going to make them instantly sick, they think the same about drafts. There is, of course, a certain irony here, being that drafts actually circulate fresh air. Drafts are anti-mould, so to fear them as well is like fearing both heights and the ground. You will not be thanked for pointing out this contradiction, *Ausländer*. Fears are rarely rational, anyway—well, unless they're of investment bankers. So just let them have this one and pretend to freak out as well whenever you see flecks of green on your walls or in your leftovers.

21. CASH IS KING

The German distrust of plastic doesn't stop at toys. It also concerns the plastic in their wallets. As you've probably noticed by now, cash is king here, and it sits proudly atop a throne of paper bills and dirty metal coins. It's a king not likely to be beheaded any time soon in an Amex- or Visa-led revolution.

Such is the fear of cards that fully 80% of all the country's daily transactions are in cash. Of course, this has a little bit to do with Germany's unique history. It has demonstrated, historically, an aptitude for citizen *Überwachung* (surveillance). However, when the other pocket of your jeans holds a smartphone, it's pointless to worry about being tracked. Smartphones are the most perfect surveillance device ever designed. They're the Stasi, your diary, your best friend, and a portable lie detector, all in one. So there must be something else going on here as well, right?

I've asked German friends about the national cash obsession and they tell me it's not just about not being tracked but also about them *tracking themselves*. As one said, "I want to feel every transaction. With cards, it's all just funny money, you know? It doesn't hurt because it's not real. When I buy an espresso and a bagel for €6.20, it should hurt to hand that money over." So, there we have the answer. It's about tracking, not being tracked—and fiscal masochism.

22. SPENDING IS SILVER, SAVING IS GOLD

Leaving those cards in your wallet is just one small step on the yellow brick road to *Geiz*. Step two is to try, as much as possible, to spend absolutely nothing at all! That's right—here, thrift is sexy (as it probably should be everywhere). Here, we look after the cents so that the euros can look after themselves. Of course, we'll only let the euros think they're looking after themselves. We'll actually be monitoring them very closely on a homemade, colour-coded, Excel finance spreadsheet that we update daily. Euros can't be trusted any more than cents.

Sparsamkeit is, however, not just about saving money outside the home. There is important work that can also be done in it.

For example, why are you still leaving the light on when you leave the room? I don't care if you're only nipping to the bathroom. Frugality amateur! Is your radiator on five? What are you, a millionaire? Keep your radiators on a permanent low heat in winter, like a two. Not all or nothing. That's not energy efficient. Did you leave a door open? Do you think the heat just stays in here, clinging onto the walls for dear life? No, it rushes out. Shut the door! Now! You have much to learn.

It seems like every German knows these money-saving tips automatically—like how turtles know how to swim from birth. That's probably because, from a young age, it's made clear that there are only two situations in which it is acceptable to go into debt—buying a house or a car. Everything else you save for first,

then buy. The only thing scarier than debt is mould (mould having a mortality rate of 97%—coincidentally, the same rate they think credit cards charge).

23. SUFFER CAR AND TIME BLINDNESS

While the sacred German art of *Geiz* is very developed and admirable, I have noticed a few blind spots. Some areas for improvement, if you will. The problem is that they're usually so focused on saving money that they simply forget to include other important non-monetary costs into that endeavour. Namely, their time and petrol. Don't be surprised to see your friends reviewing weekly supermarket promotional leaflets to research who has this week's best special offer on *Quark* or vegetables. Satisfied with the brilliant bargain they've discovered at that out-of-the-way Lidl, they'll hop into their car to drive an extra 10 kilometres to save €0.25 per kg on *Schnäppchen* tomatoes—forgetting that they'll lose more on petrol, time, and nerves.

Germans are prone to similar mishaps of logic in their online research. A whole evening might be lost checking different savings blogs and forums, consulting elaborate *Stiftung Warentest* comparison services, and reading every single Amazon review before finally deciding that this really is the €7 hairbrush for them.

24. RENT, DON'T BUY

Personally, I think the single greatest thing about living in Germany—in comparison to the UK—is that there are strong rental protections here. This country does renting right. It understands that homes are more than just brick Ponzi schemes in which younger generations entering at the bottom can be fleeced out of more and more money. Homes are more than just ATMs for their owners. I know that in many countries the chance to own your property is seen as an important right. That's understandable, and often necessary, because that country has so few rental protections. Having these protections helps explain why only 42% of people here own the place where they sleep, compared to 65% in the US, 69% in the UK, and a heady 80% in Spain and Ireland. Without them, you can be booted out of your home with a few weeks' notice, or see your rent double overnight. But if those protections are in place, why would you want to buy? After all, it's a long financial commitment. You're also on the hook for all the maintenance. Boiler blows up? Your problem. Roof collapses? Your problem. Mould? Well, let's not even think about that—it's too terrifying.

The great news then, *lieber Immigrant*, is that you don't have to think about it if you don't want to. It's perfectly normal here to die a rentee. With protections about rent raises in place, you're also much less likely to get stuck in a cycle of not being able to buy, but barely being able to afford to rent, stuck giving 70% of your monthly income to a landlord. A landlord, by the way, who has probably done little to earn it, beyond having lived long enough to inherit the property or the money to buy it from their parents.

After all, was it not Karl Marx, a wise, bearded German man, who popularised the expression "property is theft?" If we accept that, consequently, all we can hope to do is to civilise that thief.

To contractually limit how often he can come around to rob us, how much he's allowed to take when he does, and how much notice he has to give beforehand, so we can quickly hide the silverware. This is what Germany does. Once the tenant is in, good luck getting them out. German law favours the weaker party. If the landlord doesn't need that apartment for themself, they're out of luck. The tenant needs it more. It's not an investment—it's a home.

Thank you, Germany.

P. S. Please keep it this way.

25. EINSCHULUNG AND ZUCKERTÜTE

After arriving here, you probably noticed that you were hopelessly unqualified in comparison to your new friends. Sorry about that. This land majored in education, with a minor in specialism. However, it's not too late. If you're still willing, we can head back to school together. Yes? Great! With education such a core value of German society, it's no surprise that they'd make our first day at school—*Einschulung*—a rather grand affair. Important enough to get its own noun, even. What's that at the back? You think the barrier to getting your own German noun is quite low? That German is pretty slutty with its nouns? *Shh.* I'm teaching here.

So anyway, *Einschulung*, our first day of school, is often held on a Saturday, so that everyone can attend—parents, grandparents, cousins. At the school, excited, we'll be greeted by a proud *Schuldirektor*, who will perform a special ritual for us *Schulanfänger* called an *Einschulungszeremonie* (there's a few more specialised nouns for you—you're welcome). Don't fidget, *Ausländer*. Usually *Schulanfänger* can sit patiently through this ceremony because they know what comes next—the climax of the whole process: we get our *Zuckertüte*!

Zuckertüten (or *Schultüten*) are giant cones of gifts presented to the children starting school. This elaborate present is designed to distract us from realising that German society now deems us old enough to learn. No longer can we just goof off with our friends in the sandpit. Our best days are truly *vorbei*.

As a foreigner, it's bittersweet to learn of *Zuckertüten*. Sweet that they exist, bitter that you never got one. I think they should be distributed liberally—Mondays, dentist visits, health insurance rate increases, and many other such boring adulthood events would be greatly improved with sugar bribery. Of course, puritans might argue that handing out *Zuckertüten* left,

right, and centre would only cheapen this special German tradition. I'd argue that you only know something is a tradition when other people tell you it's being ruined by commercialisation.

Apparently this is already happening to the humble *Zuckertüte*, so my friends with kids tell me. Rather than filling the *Tüte* with modest educational gifts (probably made of wood), it has become a parental dick swinging contest of iPads and smartphones and other such shiny, mind-rotting trinkets. Will someone not think of the children? Where are the children? Studying, most likely. That's their job now, after all. As it is yours.

26. VOLKSHOCHSCHULE

While your German educational *Pflicht* begins with *Einschulung*, it ends at the delightful *Volkshochschule* (VHS), the "People's University". Just as Muslims are required to go to Mecca, Jews to Jerusalem, and Brits to the pub, Germans must regularly make an educational hajj to their local VHS. At least one course a year should be your minimum. *Volkshochschulen* are fascinating places. Ostensibly, they are just government-sponsored adult learning centres. However, there is so much more to them. They're melting pots, where all the different classes, nationalities, and intellects of this land come together.

Not sure where your nearest VHS is? I can help. It's the nearest very large, drab concrete building that directly overlooks a busy six-lane road. Not sure what to study? No problem—pick up that thick brochure by the entrance. Browsing the VHS catalogue—which you should do regularly—is an exploration of the possible: *How could anyone possibly be interested in this topic? How could it possibly take that long to learn it? How can it possibly cost this little to do so?* Don't be surprised to find a course

on posture correctness that takes forty-eight weeks, yet costs only €51.

Once you have enrolled, you'll meet your fellow students. There will be the natives who are always there minutes early, sit in the same seat, and bring more highlighters to class than there are fellow students. Meanwhile others, often fickle foreigner types like you and me, will stroll in late, smiling and apologising to cover up the fact that we've forgotten our homework again. In class, watching the teacher is just as interesting as watching the students. The teacher will be either brilliant or awful. It's binary. That's VHS Teacher Roulette.

Although it's easy to poke fun at the VHS—to write it off as a place that progress forgot, a Bermuda triangle of knowledge where you have to wipe the dust off your seat before you sit down; where, if you ask for a projector, they would assume you

meant an overhead projector—I actually think it's one of the best things this country has to offer. Affordable education for all. Its popularity is a testament to the importance education has here. You go there for knowledge. You receive knowledge. Nothing more, nothing less. Comfort? Fun? Chairs with all their legs? A teacher that remembers your name? No. *Just knowledge.* Isn't that enough? Yes, *Ausländer*. It is. So what are you waiting for? Posture correctness starts on Tuesday. I'll see you there.

27. BLAME THE WEATHER

As you may have noticed, actual scapegoating is quite an irritating process. You have to find the goat, push it up a mountain, and cast it off. It will probably make loud, annoying bleating noises of pain and suffering all the way down. You might even feel a bit guilty afterwards, if you're the sort of sissy that gets moved by senseless animal cruelty. It's perhaps no surprise then that modern life has kept the basic idea—collecting up all our grievances and projecting them onto an innocent symbol—but decided to skip the cumbersome mountain throwing step.

Of course, that still leaves the problem of deciding who is to blame for all your ailments. *Parents? Husband? Child? Mother-in-law? Angela Merkel? Foreigners? Shape-shifting lizards in human form?* You don't have to be paranoid to realise that everyone is out to get you. Good news then, ex-citizen of other lands! Germans have optimised the scapegoating process. They've identified the perfect victim—a victim that can't defend itself, that's everywhere, that affects everyone equally, and that even carries itself to the top of the mountain. I'm talking, of course, about *the weather**. There's almost no ailment your German friends won't attempt to blame on this ever-changing sky bastard. They tend to be vague about exactly what it is with the

weather that's causing their aches, pains, headaches, bad mood, good mood, runny nose, persistent cough, sleepiness, inability to sleep, tiredness, or, lastly, mania.

"I don't know, I just feel kind of *meh*," they'll say.

"Why do you think that is?"

"I'm not sure. Probably the weather."

"What specifically about the weather?"

"It has been quite warm/cold/humid lately."

"Okay," you'll protest. "But the weather's out there. We are in here."

"Yeah, but it still comes in here, idiot. Atmospheric pressure and stuff."

"Uh-huh. Okay," you'll say, wanting to be supportive, but thinking maybe it's worth acknowledging the room's other elephants. "I thought maybe it's because you were drinking last night and when you drink, you sleep badly, which would make you tired today. Then you had the weekly team meeting, which you hate because of your boss. You've also got reoccurring back pain you've not bothered to go to the doctor's about, nor signed up for that VHS posture correctness course I researched for you. Also, on top of all that, it's Monday. Everyone is *meh* on Mondays."

"*Nein*. I'm pretty sure it's the weather."

*I think it also helps explain why Germans are terrified of drafts. A draft is nothing more than a highly concentrated, kamikaze weather attack.

28. IF THAT FAILS, BLAME YOURSELF

If, however unlikely, the weather *is* behaving itself and there's really no plausible way to blame it for all the disappointments in your life, you've only got one other option—*blame yourself.* Germans love putting themselves down. They might have told you the national sport is football, but it's actually modesty. Probably because they learn *Vergangenheitsbewältigung* (coping with the past) about the same time that other toddlers are learning the alphabet. Whether it's reflecting on some small mishap of the past five minutes, or one of a decade ago, if there was a World Cup of self-hate, I'm confident Germans would have another *Weltmeister* trophy for their collection. They're so used to blaming themselves for everything that many have simply begun skipping the first step—*needing to do something wrong.* That step is for amateurs.

However, I was raised in a culture that exclusively blames everyone else for our problems—mostly foreigners. *I'm* never to blame. Yet, here, *I'm* living with someone who is always telling me everything *I* do wrong is *my* fault. The cheek of it. I only

WHO IS TO BLAME?

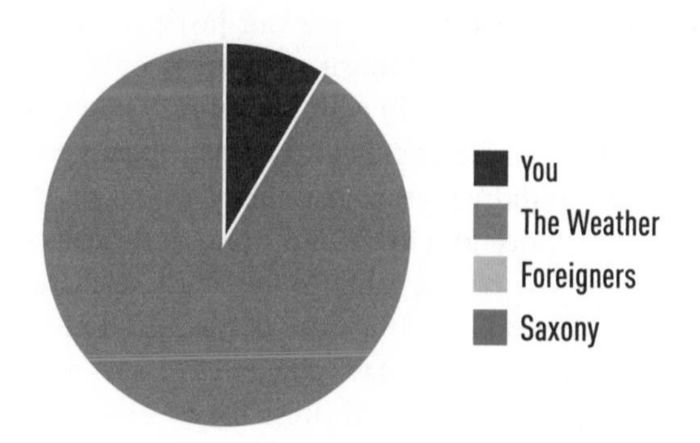

have to say something completely innocent like, "I've been sneezing a lot today. Maybe I've got a cold coming," and I'll get a reply such as, "Two days ago when you sneezed twice, I told you to put on the Magic German *Schal* of Instant Wellness. But you didn't."

"So it's my fault?"

"Well, also, last Monday you took the rubbish out in just a t-shirt. So you tell me... Could also be the weather—it has been weathering quite menacingly lately. But I think it's probably you."

And now, my friend, it's your lucky day. Because with your new nationality, it gets to be all your fault as well. Congratulations. Not happy about this? Well, you know who to blame then, don't you?

29. STAY PESSIMISTISCH

There's a government campaign fronted by Claudia Schiffer aimed at increasing investment into Germany. In beautiful doublespeak, it's called "Deutschland—Land der Ideen." While the international stereotype of Germany as a boring, uncreative place is totally wrong, I think it's also a stretch to call it the land of ideas. "Keine Experimente" was not just a famous political slogan here—it's also a diagnosis of many people's worldview. Of course, this has a lot to do with the country's unique history and so is perfectly understandable. German society has spent a lot of the last hundred years stumbling into—or stumbling dazed out of, and needing to rebuild from—one disaster or another. From the Weimar Republic to the Third Reich, to division into East and West, to the difficulties of reunification, to Europe and its single currency, to today's challenge of integrating a million new citizens, it hasn't exactly been easy.

That many changes in just a hundred years is going to leave scars. I think those are most visible in how pessimistic present-day Germans are. Germany is very much a glass half empty nation. The most regularly used *Tisch* in daily life is not found in the kitchen, but the mind. It's good, old, sturdy pessimis*tisch*. The default *Traum*? An *Alptraum*. The average German, coasting along on the *Traumschiff* of their life, remains at all times—even times of total calm and prosperity—scanning the horizon for icebergs. They just can't help it. It was Einstein who famously said that the definition of stupidity was to keep doing the same thing, but to expect different results. In that case, I think the definition of German stupidity is that they keep doing the same thing, keep getting good results, and yet still expect it to go horribly wrong the next time.

30. BE SCHAULUSTIG

A common observation is that Germans stare. This is true. So what. What's wrong with staring? Interesting things should be looked at. In the same way, uninteresting things should be visually interrogated to find out why they have the audacity not to be interesting. In some weird countries, looking into the eyes of someone sitting near you is an act of aggression, a direct provocation, the sort of thing that used to end in a duel. So people there are reduced to meekly observing the floor or their phones. Really, it is these countries that should have to explain themselves, because people are, by far, the greatest entertainment. Far more engaging than any app about rearranging candy and more interesting than the latest click-bait article about how Tabasco Sauce is the miracle cancer cure we've all been waiting for.

It's only logical, then, that Germans, inquisitive folk that they are, enjoy watching other people—especially if they're wearing

a silly hat. Or they're reading a newspaper on the *U-Bahn* and if you stretch your neck awkwardly like you're a giraffe, it's possible to be a *Mitleser*. Or, if they've been involved in an accident of some kind. Germans have a great word for this desire—*Schaulust*. *Schaulust* is not rudeness, as it might first appear, nor an invasion of another's personal space. It's just pure, unbridled curiosity, which is natural, good, and, contrary to popular belief, rarely kills cats. Sure, it might take a bit of getting used to at first, but after a few weeks of being stared at and feeling judged and uncomfortable, or like maybe you forgot to wear pants today, you'll be won over. You'll lift your eyes from the floor and stare back, enjoying this new freedom and becoming as *schaulustig* as everyone else.

31. PLAGIARISE YOUR DISSERTATION

There is a theory that if you want to know how functional a country is, all you have to do is look at how boring its politics are. This is how I know that Germany is a great, functional country: its politics are pretty boring. This was something acknowledged by *Time* magazine, when they awarded Angela Merkel person of the year, yet still called her politics "resolutely dull."

The closest German politics comes to a scandal is when a politician plagiarises their dissertation. There has been a spate of these in recent years. The embarrassed, shame-faced public official is exposed, has to stand down, and holds an awkward press conference in which they admit their wrongdoing. For us *Ausländer* looking on, it's a somewhat comical scene. Ask an Italian what they would think if they learned Berlusconi had plagiarised his dissertation. It wouldn't even warrant a press conference, compared to all his other, meatier indiscretions. Your Greek friends would be happy if their political elite stopped punching each other long enough to do a bit of the old copy/paste. English politicians don't even have doctor titles. Most have little more than a B. A. in Bullshittery. We'd love to have politicians qualified enough to fake their qualifications. Every time I'm told about the latest copy/paste political scandal here, I smile, knowing that everything is fine and I'm lucky to live somewhere as functional (and politically boring) as Germany. If you're interested in learning more about this, my PhD dissertation is on the topic. I wrote it all myself, honest.

32. PARADE YOUR POLITICIANS

The other most fun time in German politics, aside from the plagiarism, is the open-air Rogue's Gallery, as I like to call it. This occurs just before any election. During this special time, every street gets a makeover. Poles, lampposts, windows, and anything else that stops moving long enough gets covered by a *Wahlplakat* of one of the election hopefuls.

Suddenly, the same boring street you drive along every week on your way to *Kaufland* is magically transformed into vote speed-dating. You get to appraise the carefully photoshopped mugshots of the candidates offering to represent your *Kiez*. Over the weeks, these smiling, hopeful faces become like friends. Not all of them, of course. But that's your prerogative to decide. Who looks trustworthy? The woman with the excessively straight fringe? That man with the overbite? Politicians are paraded, and you get to walk that parade and try and guess who would make a good candidate—but also, more importantly, who is secretly a cross-dresser, or has plagiarised their dissertation.

Even if you know nothing about politics, you can quickly learn a lot about the political climate just from walking this Rogue's Gallery. Firstly, look at which parties are closest to the ground. The higher the sign, the riskier the vote. I've seen the NPD and AfD out late at night, putting up their signs from atop an extra long ladder. They hope that the higher the signs are, the less they will get vandalised. That tells you something about their policies. How are they vandalised? That's also relevant. Is it simply the adding of a little facial hair? A beard, perhaps? Some darker eyebrows? Minor stuff. The adding of genitalia? More serious. A certain moustache? Well, very serious. Sign removed completely and thrown on the street? A contentious party or candidate. In other countries, you might have to read stuff, like campaign brochures, or watch a debate. Not here. Here, the

posters by your front door tell you everything you need to know. Of course, to be respected by your German friends, you must give the outward appearance of having voted cautiously and after thorough research. In reality, you're actually out on the street, walking the Rogue's Gallery, voting based on who has the snazziest haircut.

33. LOVE SCANDINAVIA

I'm not sure how you currently feel about Scandinavia. Perhaps you find it a bit sterile? Or resent paying €9 for a mug of tea? Or needing a psych exam before you're allowed to buy a bottle of vodka? Well, you can forget all that now, because the German position on Scandinavia is clear, which means your position is equally clear. For them, Scandinavia is a sparse *Wandern* Narnia. I wouldn't be surprised to learn that they think you get there through a wardrobe. "S-c-a-n-d-i-n-a-v-i-a," they'll whisper, in hushed tones, "where everything is better." They'll say this while wearing Scandinavian clothing brands, watching its detective shows, reading its *Krimis*, comparing (unsuccessfully) against its school systems, taking holidays on its fjords, and looking up at its extra bright sky nightlights. There's even a word for this—*Bullerbü-Syndrom*. While this sounds like an IKEA bookcase for a doctor's waiting room, it is actually the belief in Scandinavian superiority—a belief this country has with the certainty of religious zealots. I've even heard that Angie herself is a sufferer—that she merely adopts the most successful policies of Sweden, Denmark, and Norway. I'd like to talk more about this, but I've already confessed, in the previous step, to voting based on a candidate's face, so I'll perhaps leave the political analysis to the more qualified. Maybe I'll find a Scandinavian to ask—they'll know.

34. REJECT PATRIOTISM

One of the great things about living here is that patriotism is, largely, *verboten*. Germans, rather than being proud of modern, successful Germany, have decided to remain healthily suspicious of patriotism, treating it like a travelling salesman that's arrived unannounced at their door. *"Fourth biggest economy in the world! One million refugees accepted! Apfelsaftschorle, am I right? I'm right! We're the good guys, folks! Go Team Us… Here, take a flag."*

Knowing that if it sounds too good to be true, it probably is, they're not going to open the door to their hearts and homes, inviting patriotism in for *Kaffee and Kuchen*. No. For while Ger-

many is (mostly) good today, it has been bad, and it can still be better. It's a project (like the BER airport) that will never be finished, and is likely already running a large (moral) deficit. So what is there to celebrate? And what role did they play in its previous successes, anyway? They're here entirely because of an accident of birth, or a luxury of geographic freedom, just like the rest of us. So let's all just stop this gushing and praising.

However, there is one time when this otherwise very sensible policy is completely, utterly abandoned. Yep... you guessed it... *during major football events.*

Germany has decided that, rather than the usual year-round trickle of national pride favoured by most countries, it's going to save up all its self-love and release it in one short, sharp flood, every two years when the whole nation falls under a collective

patriotic fever—*Nationalmannschaftspatriotismuskrankheit.* The contrast is huge. You go from seeing no German flags to seeing them on nearly every car, flapping from balconies, or smeared on the cheeks of people's faces. To having inebriated strangers shouting "Schlaaaaaaaaaand" in your face, as if this were normal, or a word.

Then it ends. Germany usually wins. No one should brag about this. We were not involved, after all. We did not score the winning goal. We merely got drunk and sang songs. The fever lifts as quickly as it came. It's like the country is an alcoholic waking up from a bender, trying to piece together where they are and what they've done. Looking down, in disgust, at their stained clothes. Where are we? How much did we spend? We said what? *"Schland?"* But that's not a word. Faces are washed. Flags are taken down. People return to work. Overt displays of patriotism become forbidden, once again. Normal life returns… until the next tournament and outbreak of *Nationalmannschaftspatriotismuskrankheit* two years later: *"SCHLAND! SCHLAND! SCHLAAAAAAAAAAAAAAAND!"*

35. BE DOUBTFUL ABOUT THE EXISTENCE OF BIELEFELD

You're probably aware of the concept of a "dad joke." It's a joke that's not especially funny, that you've heard a thousand times before, but, well, your dad loves delivering it and so you chuckle along to keep him happy. Not enough to encourage him, of course, but just enough not to discourage him. He means well, bless him. The nation of Germany has a collective dad joke like this. I'm not sure when it stopped being funny—possibly a decade ago—but that's not important anyway. It's now just part of the collective consciousness. A kind of ritual. It's your re-

quirement to play along, a *Mitbürgerpflicht*, if you will. Okay? Ready? Here it is… Whenever anyone mentions the word "Bielefeld", you have to reply, "Bielefeld? But it doesn't really exist, does it?"

They will chuckle. You will chuckle. All will be right with the world. The universe will stay in balance. Bielefeld will… well, it doesn't really matter, does it? Since it doesn't exist anyway.

36. THE BAHN PURGE

Does Germany's rule-laden society irritate you sometimes, my little *Ausländer*? Do you have an urge to shake off all its fastidiousness, oppressive nit-picking, and excessively high *Ordnung* expectations? Do you long to rip up all your *Scheine*, fire up the vacuum cleaner on a Sunday, or kamikaze out into the road regardless of what that stickler the *Ampelmännchen* says? If you've seen the movie *The Purge*, starring Ethan Hawke and Lena Headey, you'll already know the basic purge concept: one special night per year when there are no rules. Anything goes. Nothing is forbidden and, in theory, mass catharsis can ensue. Boss keeps making you stay late at work? Pay him a little visit during the purge and set his house on fire. Now he can also know what it feels like to live at the office. *Mwhhahhahahaha. Evil laugh. Stroke cat. Maniacal grin.*

You might not have realised that the creative, frustrated citizens of this fine land have all agreed on a mini purge-*chen*. One area of society where there are no rules of good taste, where the gloves can come off, where polite etiquette is completely abandoned and it's every man, woman, child, pet, and item of luggage for themselves.

This is when boarding a train. It's called *The Bahn Purge*.

Anyone who thinks Germany is a civilised society has ob-

viously never watched them enter a train. They go from nice, *Gott grüßing*, *Solidaritätszuschlag* paying, *Mahlzeiting* people to public transport gladiators fighting for their lives—or, more likely, their already-reserved seats in the Coliseum of *Wagen 14, Ruhebereich*.

The Bahn Purge begins the very moment the train arrives. Technically, you're supposed to let people off it first, but there are no rules about how much space you have to give them to do so. Squeeze in—twenty centimetres should be more than enough, right? Create a gauntlet with your fellow waiting passengers so that the disembarking have to stumble through it, while you take turns shooting them disapproving looks and shoulder barges. The way clear now? No? One or two people are still getting off? Whatever! *Etiquette schmetiquette!* Go, go, go! It becomes perfectly acceptable to use shoulders, elbows and teeth to pull, pinch, punch, or knock other passengers aside. Your husband of twenty years? Your only child? *Pah*. Leave them back on the platform fending for themselves—this is no time for family. Is that a pregnant lady? No, not during *The Bahn Purge*. During *The Bahn Purge*, she's just another lumpy obstacle between you and a seat in *Fahrtrichtung*.

You're in the carriage now. Unfortunately, it's quite busy. Wait just a minute, is that a free four-seat with integrated table?! *The holy grail*. Get moving! A *Junggesellinnenabschied* in matching pink "Game Over" t-shirts is also heading for it from the opposite direction. Ready your elbows. She'll make an even more beautiful bride with a black eye. A little extra colour for her otherwise white wedding. *Mwhhahhahahaha. Evil laugh. Stroke cat. Maniacal grin*.

If you have fought well, and the public transport gods smile down upon you, you can collapse, bloodied, bruised, and breathless, into the soft comfort of your seat(s). All that's left to do is carefully block all the seats around you with your luggage, someone else's luggage, your shoes, your feet, or a hastily erected

wall of *Bahn Comfort* magazines. You breathe deeply. Your anger passes, your adrenaline drops, you put your inner Hulk away for today. Everything is fine. You have survived *The Bahn Purge*. You and your fellow passengers are all nice people. Concerned about the *Umwelt*, and Syria, and global inequality. You would never buy eggs from *Bodenhaltung*. Breathe, relax. That's better. Smile at that cute kid nearby. Make a little noise, kid... wait, why isn't the train moving?

Ping—"Ladies and gentlemen, *herzliche Grüße von Ihrer Deutschen Bahn*, we have a delay of thirty minutes due to our own systemic inefficiency... *Mwhhahhahahaha.*"—*Ping*

37. FAIL AT FLIRTING

Hopefully you were already in a relationship before you moved to Germany, because finding one here can have its challenges—the biggest challenge being that the citizens of this fine land, while competent in many areas, tend to be rather unskilled at flirting. They get the basic premise—it's like what dogs do in the park to each other's behinds, only more subtle and with words, or maybe a bit of body language thrown in for good measure. But which words and what body language?

THERE ARE NO RULES! Therein lies the problem.

Flirting is as much about sub-text as actual text. But since German society shuns sub-text 99% of the time, in the 1% where it is allowed—romance—no one has any experience using it. Until the DIN people create a best-practice *Flirttabelle*, there are going to be a lot of accidents, confusion, and heavy handedness.

Men are afraid to make the first move, since they've been raised by generations of strong, independent German women and so don't want to rob the girl of her independence and au-

tonomy. Women overcompensate for that and are, sometimes, scarily direct. An Irish friend, Paul, tells a story about finally plucking up the courage to approach a beautiful blonde German woman standing at the bar. Nervously, he approached and began delivering the funny opening line he'd been rehearsing on the walk over. "I'm sorry, you're too short," she said before he'd gotten halfway through it. Then she turned back to the bar. *Ende der Diskussion.*

Still, at least she said sorry.

If, by some small miracle, you do manage to get a date, it's probably not actually called a date because that creates too much pressure. If you manage to get to the end of that date/non-date, you are forced out onto the relationship dance floor for a *Rechnungstanz*, as you awkwardly over-analyse who should pay, half pay, or not pay at all, and what all that would mean? If you get past the date, there's no established etiquette about what happens next. How soon can the next date be? Who calls whom? How quickly can the dates lead to sex, or an official "relationship?" Everything is possible, which mostly results in nothing getting done. Germany has one of the lowest birth rates in the developed world, at 1.4 children per woman. Before you moved here, you probably wondered how it can be so low. However, once you start dating here, or trying to date, you'll wonder how it could possibly be so high.

38. DRESS NORMCORE

Just like flirting, fashion is also problematic, because it suffers from the same lack of clear rules. You might be "in" one minute, only to be hilariously behind and "out" the next, only to discover that—having changed nothing in your outfit—a month later you're inexplicably back "in" again, for being retro. Trying

to win at fashion is a bit like trying to win at *Skat* while playing alone, in the dark, with no cards. Therefore, Germans have neatly sidestepped this giant clothing *Zeitverschwendung*, adopting an ingenious solution called *Normcore*. Normcore is attempting to be as average and anonymous as possible—normal made hardcore. Germans express normcore by abandoning the whims of fashion in favour of classic *Funktionskleidung*—clothing that emphasizes engineering over something as pointless, fickle, and downright vague as fashion. Partner look is

also encouraged, in which couples wear the same clothes, fusing their previously unique identities into one human blur of *08/15*-ness. Much like you can get a double word score in Scrabble, partner look is a double Normcore score.

In short, for you, looking good is out. Looking invisible is in. German logic has correctly identified that you can't really be out of style, just as long as you were never attempting to be in it. You should, therefore, treat fashion like it's a high-school birthday party you've not been invited to—neither try and get yourself invited nor reveal that you care that you've been snubbed. Instead, go about blending into the background as quietly and normcore as possible.

39. WHEN YOU MOVE, TAKE YOUR KITCHEN (AND YOUR LIGHT SOCKETS)

Everyone hates moving. All that work and boxes and packing and unpacking and carrying the washing machine up to the fifth floor, what with your bad back? Horrible. I read one study that said moving is actually the most stressful thing humans ever do, after having children. Yet, Germans have found two special ways to make it even more arduous. I learnt this the hard way when we moved into our Berlin apartment. The moving in part was simple enough. Taking the last of the boxes from our friend chain, we waved them goodbye and began unpacking. It was getting dark, and so I flicked the light switch. Nothing happened. Strange. I flicked it again: nothing. A cursory look up at the light explained why. The previous tenants had taken the light bulbs with them! "What kind of sick and twisted person takes the light bulbs when they move?" I asked Annett. "That's a whole new level of pedantry. That's, well, *peda*-pedantry."

"The kind that also takes the light fittings!" she replied from the top of a chair, looking up at the socket, or lack thereof.

"You must be joking?"

"Nope, there are no light fittings either."

I sat down on an unpacked box.

"What are you doing?" she asked.

"I need to process this," I said, and began furiously rubbing my temples and looking generally quite pained.

"Can you get back to work? We've a lot to do."

"No, I can't. Not right now. I feel like the floor is spinning."

"Is taking the light bulbs and light fixtures that weird?" she asked.

"That weird?! I've always thought that people are basically good. I mean, I know there are one or two bad eggs out there, but on the whole, give or take, they are basically good. But if there are people in the world who are pedantic enough to remove both their light bulbs and light fittings when they move, well, I'm not going to be able to believe that anymore. I'm going to have to change my entire worldview."

Annett rolled her eyes. "Do you think you might be being a bit dramatic?"

"A BIT DRAMATIC?" I said, leaping to my feet to begin gesticulating wildly and aimlessly with my arms. "Dramatic is removing your light fittings to take them to your new apartment where you need them because the person there has removed their light fittings to take to their new apartment, thus creating an endless chain of completely unnecessary inconveniences. Why doesn't everyone just leave their light bulbs and fixtures where they are? Is nothing sacred in this world??!!"

Annett remained unmoved by my outburst. "Get back to work. We'll buy some light fittings tomorrow."

"It's just a lot to take in, that's all."

"Well, go to the kitchen and get us some water."

"That's a good idea. I'll do that."

A few seconds passed.

"WHAT THE F*$K? THEY TOOK THE KITCHEN AS WELL?"

40. FEAR BUREAUCRACY (IRRATIONALLY)

My German teacher, Claudia, is what you might call an anti-authoritarian. This manifests itself in her inability to take anything seriously, particularly the things in life other people tell her she really should: such as forms, deadlines, taxes, or the requests of people wearing shirts and ties and claiming to be from an important part of the *Staatsorgane*—such as the heart, kidney, or *Rundfunkgebühren-Beitragsservice* (formerly the GEZ).

She might open a letter, sometimes. Phone calls? Overrated. If it's important, they'll send a letter. Tax returns? She thinks she might have gotten a letter about that. Tax is optional though, right? Like calling distant relatives on their birthdays.

When I learnt this about her, it came as quite a shock. In comparison to her laissez-faire life approach, whenever I receive a letter containing the word *Mahnung* I immediately begin packing a suitcase, ready to begin my life as a fugitive. Claudia was the first person I ever met who didn't take German bureaucracy seriously. She only ever refers to the *Finanzamt* as "the *Kuschelamt.*" I think she last replied to one of their letters back in the '90s, via fax. "Lovely people," she assures me. "You can always send them a letter or pop in and see them to apologise for whatever you haven't done this time, and they're so understanding!"

"The *Finanzamt*?!" I reply, in shock. "I have nightmares about those people. I assume getting audited is like receiving an invite to overnight at Hotel Guantanamo."

Claudia laughs hysterically. She shows me a recent email she'd

sent them that included smilies. "You send smilies to the *Finanzamt*? Isn't that like sending a bullet to the queen?"

"No, they like smilies too. They're just people like us."

The *Finanzamt* are just people like us! This was a revelation! I always pictured them as the Judge Dredd of spreadsheets. German bureaucracy must be world famous for a reason, right? *Überflüssiger Papierkram* is a core part of the nation's international brand. It was not something you could just trifle with, surely? Yet, here was Claudia, openly daring to defy it, without any consequences. So I started polling friends. To my surprise, many told similar stories. German bureaucracy has a terrifying reputation, they all agreed, but actually it's fine. Its bark is way

worse than its bite. Some stuff they did, other stuff they ignored; sometimes they met deadlines, other times they didn't; the people they communicated with were almost always nice and understanding. No, they had no idea, either, why everyone was so terrified of German bureaucracy.

German bureaucracy is actually fair and flexible. Go ahead and fear it, as almost everyone does. But if you do get the guts to pull back the curtain, you'll probably find nice people relaxing on the other side, drinking coffee, doing a bit of stamping, maybe, and enjoying smilies. People just like us, well aware that they ask too much, that we'll never deliver, and that that's just fine ;-)

41. FALL DOWN THE GENDER GAP

If you're learning German, I'm sorry. You may have noticed that the language has one giant banana skin upon which everyone keeps slipping—the genders. Granted, they do add a certain poetry to the language, but at an exorbitantly high price of complicating all of its grammar and declination. *Der* becomes *den*, or *dem*, or *des*, or just *der* again. Adjectives get confusing, rear extensions turning *nervig* into *nerviges*, or *nervige*, or *nervigen*, depending on the case and gender. I'm not sure, because I've never learnt it, because I've only got this one life.

You'll probably be surprised to learn how few of the natives understand it. The genders not only introduce difficulties of grammar, they also, ironically, introduce problems of gender. How can we use them without giving favouritism to the male or female? There should be no male bias, as we've already had a few hundred thousand years of that and it has not worked out that great. Rightly, Germany wants to move with the times and not discriminate in its jobs and professions—but it doesn't know

how. *Der Polizist* is obviously wrong, and not inclusive. But what is right? Should it become *der Polizist/die Polizistin*? This looks kind of ugly. How about *Polizist_in*? Or *Polizist*in*, or *PolizistIn*, or *der/die Polizist/in*, maybe? Hmm. All are clumsy. There is, as of yet, no clear norm. Everyone knows that equality is important and everyone wants to be politically correct, but no one knows how. Some newspapers use one style or format, others use another, and some use none at all. All get angry comments no matter what they pick. Usually, for any query about the German language, you can ask *Duden the Omnipotent*. But even it is confused on this particular issue. There simply is no elegant solution. It's chaos—German style.

So, my *liebe/r Immigrant/*_In*, prepare to be as confused as everyone else.

42. RESPECT THE ORIGIN OF WORDS

There is little that is less English than the English language. It's a curious European potluck that the Romans, Saxons, Norse, and French took turns conquering and forcing loan words into—loan words being a curious phrase, since we've never quite gotten 'round to giving any of them back. This is, of course, how most major languages work—they've all played the field. But some of those languages, unlike English, are truthful and honest about their previous linguistic transgressions. English plagiarises words, giving no credit, accreditation, or respect for their previous pronunciation. Those words are English now, damn it. They have been stripped of their heritage, wrapped in a Union Jack, and force-fed tea. Which is, of course, an English drink, and was absolutely not invented in China.

The German language isn't like this. It plays fair. It's respectful of its roots. I know this because my German teacher Claudia has

a look, a particular look, that she gives me when I'm reading out loud and I've just hit upon a French loan word to the German language, yet I've pronounced it as if it were a German word. This look, this mixture of scowl and pity, says, "You poor cultural Neanderthal. What have your people done to you? We don't plunder other people's cultures so distastefully. It's not *Engagement*, it's *En-gage-mah*." Equally, you must respect this and learn which words to Francophile. Once you get into it, it's actually a lot of fun. You look forward to finding these little croissants in your sentences' breakfast. They're like a quick city break for the mouth. "*En-gage-mah*."

Don't believe me? I've prepared a paragraph for you to illustrate this point. Please read it aloud and with the adequate levels of inter-cultural respect Germans would show it. If you're not instantly transported into fields of lavender, the sun warming down upon you as you sip Sauvignon Blanc and nibble on cheese so pungent the people of the next town have had to close their windows, you're doing it wrong:

Der Chauffeur lehnte nonchalant am Volant des Cabriolets. Er war kein Amateur in amourösen Dingen, die Damen goutierten seinen Charme, seinen Esprit, seine Verve, sein gewisses je ne sais quoi – an jedem jour fixe parlierten sie darüber. Wie gern hätten sie alle ein amouröses Tête-à-tête mit ihm arrangiert, ein superbes Diner vielleicht im Restaurant, das chice Parfüm aufgelegt und zum Dessert mit Café au lait ins Chambre separee, unterm Chiffonkleidchen gewagte Dessous… nicht einmal eine Ménage à trois hätten sie verschmäht. Doch er behielt stets die Contenance und begegnete all ihren Avancen mit Distance, womöglich gar mit Ennui. Äußerst degoutant.

43. GIVE YOUR SENF

Everybody is pretty crazy about *Senf* (mustard) here. It's their special sauce, their king of condiments. Embrace it wholeheartedly. Liberally smother anything edible in a thick layer of it. This will help you win the hearts, minds, and stomachs of your new friends.

You may have noticed, however, that there is one obvious *Senf* limitation—you can only add it to food. This is irritating. Germans would happily add *Senf* to just about anything. What couldn't be improved by adding yellow miracle sauce to it? *Exactly.* Why should you have to wait until dinner to use it? This was a problem for them. Heads were put together. Meetings were called. PowerPoint presentations were made. Committees splintered into sub-committees and sub-sub-committees. Reports were written. There had to be a solution. Somewhere. Right?

There was…

Germany solved the *Senf* shortcoming with a wondrous new creation—*Opinion Senf.* That's right. While in English you give an opinion by "adding two cents," in Germany you "*gibst deinen Senf dazu*"—you add your *Senf. Opinion Senf.*

Why is *Opinion Senf* so great? Well, in comparison to actual *Senf,* it costs nothing, never runs out, doesn't smell bad, and, since it's metaphysical, can't stain clothing! Accordingly, it's the perfect everyday conversational spice. Which is, perhaps, why Germans are so keen to give everyone their *Opinion Senf* all the time, whether they've been asked for it or not. Especially if they've not. It's somehow more tasty that way. Sharing is caring, right? Right. So feel free to unleash your opinion on anyone, anytime, anywhere—friends, colleagues, strangers, Facebook trolls, mothers out pushing their inadequately clothed child for such a chilly day. Go over and warm them up with a little *Opinion Senf.*

They'll be happy to hear your view on childrearing, particularly if you don't actually have any children. See someone riding their bike on the pavement? Jump in front of this *Ordnungsrebel* and douse them in your *Senf*. Is someone breaking the *Linksparkverbot*? Write them a passive aggressive note that drips with the stuff. They'll surely appreciate the added flavour in their day.

In short, while living here, remember this simple rule: If you can add *Senf* to it, add *Senf* to it. If you can't add actual *Senf* to it, find whoever is to blame for that and smother them in *Opinion Senf* instead.

44. THE APOTHEKE

After the first *How to Be German* book came out, several people wrote to me imploring me to write something about the German *Apotheke* (pharmacy). "These places are not normal," they told me. They seemed deeply offended by them. Or, rather, that no one else was complaining about them. Could no one see how terrible the average German *Apotheke* was? What were we all, drugged?

Having to visit an *Apotheke* is probably the worst part about being sick in this country. Huddled up in seven layers of warm clothing—and wrapped in your Magic *Schal* of Instant Wellness—you hobble to your nearest one. A little bell attached to the door rings as you open it. Entering, the place is empty. Inside, your attention is captured by glass-fronted cabinets of dark wood. "We're immune to fads," the decor tries to say. "No matter what happens outside, here, in *deiner Apotheke*, life continues as ever. Actually, for a lot longer even, thanks to all the wonderful drugs we offer."

Suddenly, you hear a voice saying "How can I help?" A woman has magically appeared from nowhere. She is very likely to be

forty-one years old. She will wear glasses and a white lab coat. Her face says, “Trust me, I am heavily armed with science. I was just out the back curing cancer, but it’s fine, I’m not too busy to sell you some aspirin.”

You hunt around in your pockets for the crumpled prescription that the doctor gave you. “One moment,” she says as you hand it over. Your eyes are drawn to the assorted medical paraphernalia on the top shelf. Something in a jar, most likely. You look down again. The woman has vanished. Where did she go? You lean over the counter—nothing. Strange. You casually peruse a pamphlet about head lice. You scratch your head. Damn. Reluctantly, you put the pamphlet into your pocket.

“Here we are,” a voice says. The pharmacist has rematerialised, holding a pack of pills and a nasal spray. You didn’t hear any footsteps. “That’ll be €47, please.” A wave of dizziness

sweeps over you. Instinctively, you clutch at the counter to keep your balance.

"I'm sorry?!"

"€47.60."

"€47?!"

"€47.95, yes."

"But it's just some pills."

"Yes. Take one immediately before each meal. €48.15 then, please."

"That's funny," you say. "Because I've also now got this sharp pain in my wallet. Can you do anything about that?"

The pharmacist's eyebrows arch thoughtfully. "Pain in your wallet?" She's unfazed by your sarcasm. "That is unusual. Maybe it's a little constipated? What I'd recommend is that you open it and give all its contents to me."

"That will clear the symptoms up?"

"It should, yes. If not, let's repeat every forty-eight hours." She smiles a sweet, wide, innocent smile. Her teeth gleam. You can't believe what you're hearing. €47 for a few pills and a nasal spray? "You know that in my country we put pharmacies inside supermarkets, right? You're like one aisle over from the jam. I can get a fifty pack of paracetamol for 27 p."

"Paracetamol? No problem," she says without moving her mouth. "I've got a twelve pack here for €9.70. So that's just €59 then, please."

You're angry, but what choice do you have? You reach for your wallet. "You're not fooling me with that white jacket, lady. You're not a doctor. You just dispense pills."

She smiles demurely. "I've noticed you scratching your head, so I've also included some head lice lotion. That's another €18. Thanks for visiting *deine Apotheke*."

"It's not *meine*," you say as you stumble back out into the street, shielding your weeping eyes from the sun. People on the street avert their gaze. They've seen your *Apotheke* bag, they

know what's happened. But no one talks about it. What happens in *deiner Apotheke* stays in *deiner Apotheke*—just like everyone's money.

45. UNBREAKABLE CONTRACTS

I'm at a party in Friedrichshain. I'm standing in the kitchen, as are 98% of the party's guests, in accordance with *Deutsche-Hausparty-Ordnung, Regel #1.* I meet someone called John, who is from Denmark and likes board games. We chat a little and eventually get to the subject of what I do for a living. I tell him about my books. "*How to Be German*?" he says. I nod.

"How to be German…" he repeats, rolling the words around his mouth, as if they are impossibly exotic. "How—to—be—German." He takes a swig from his beer. It goes silent. He nods. Exhales loudly. I take a swig from my beer. Silent again. It's nice. People talk too much, I find. John strokes his chin. He looks deep in concentration. Time passes. I open another beer. There's a fine *Stimmung* in our corner of the kitchen, a mighty fine *Stimmung.*

"*Abmeldebestätigung,*" he says, finally, puncturing the pleasant, beer-laced silence.

"I'm sorry?"

"*Abmeldebestätigung,*" he confirms, before returning his eyes to his beer, the matter settled as far as he is concerned.

"That's a long word," I say.

"It's more than that, my friend. It's Germany, in one long word."

I've never heard this word, so I ask "What is an *Abmeldebestätigung*?"

"It's what you need to show to get out of a contract."

"Ok," I say, unconvinced. "Sounds harmless enough."

John laughs. "Sounds harmless," he says and rolls his eyes.

"Tell my Spanish friend Edu that. He just moved back home but can't get out of his gym contract because he doesn't have an *Abmeldebestätigung*."

"Why is this typically German?"

"Just the nonsense of it. In most places, you have to have permission to do something, right? Well, here, you also have to ask for permission not to do it. That's *Abmeldebestätigung*. Madness." I'm not convinced, but John's a nice guy and likes board games, which is a totally harmless thing to like, and speaks to his kindly yet square nature. I want to believe him.

"Even if Edu had his de-registration letter from Germany, that wouldn't be enough. He also needs his registration letter from Spain. But he's gone travelling, so he hasn't registered there, either. 'Round-the-world trip, doesn't know when he's coming back. Plus, they don't want the registration form to be in Spanish. So, if he had it, he'd also have to get it translated. Just to get out of a stupid gym membership. It's Kafkaesque," John says, shaking his head. "Can I use that word?" I understand his concern about the misapplication of the word "Kafkaesque." "It's overused, you're right, John. But I think just about warranted in this case."

My friend Irish Jack is nearby, listening to our conversation. Irish Jack studied law, qualified even, but now hates law with an intense passion—a passion so strong he moved to Berlin to become a, well, I'm not quite sure. "Deliberately Lost" is probably the technical term. He hasn't passed another bar since, is what I'm saying. "Don't get me started with German contract law," he scoffs. "It's ridiculous. They make it so hard to get out of stuff you never even knew you were getting into in the first place."

I suddenly remember that I was also recently outraged. "Too right!" I say. "It's really difficult for *alltagsbehinderte* people like me to live here. Case in point, my *BahnCard 25* just renewed again this week. Why does it auto-renew? I'll have that thing until I die, probably quite a few years after, actually. The urn that contains my ashes is going to get discounted rail travel for many years."

"Exactly," says Jack, necking his beer. Not his first. "Also, in 2010," I say, continuing with my outrage, "I bought travel insurance online and I just noticed last week that it seems to have been some kind of subscription, and they've been charging me ever since."

"That sounds about right," confirms Board Game John. "Bastards."

"It gets worse, though. I didn't know it renewed, so I bought it again in 2011. They've also been renewing that one." We shake our heads in unison. Jack tuts. We take swigs from our beers. Jack's is empty, which is no surprise. While opening a new one—using the blunt end of a fork (*Profi!*)—he continues. "That's how they do it here. They suck you in with a good offer, then, the second you want out? You need to send a fax. You don't have a fax—they know that."

"No one has a fax," confirms Board Game John, incredulous. "It's 2015. Not 1980s corporate America."

"Exactly," says Jack. "'No problem, sir,' they say. 'Just call us, we're open every leap year. Premium rate number, of course.'"

"Of course," we all confirm.

"To Germany," says Jack, raising his glass.

"And all its glorious *Abmeldebestätigungen*," adds John as our bottles clink together.

We sip our beers. No one says anything for a while. It's nice.

46. EXPERIENCE SPRINGERSCHMERZ

Germany's *Bild* newspaper is an enigma. Everyone will tell you that it's the most read in Germany, but you'll never find anyone who admits to reading it. Someone, somewhere, must be—you're sure. But where? That construction worker in the back of the *Stehimbiss*, eating the *Mettwurstbrötchen*? Nope, even he denies reading it. Wouldn't be caught dead perusing its sensationalist sport headlines and topless women, he says. As a result, even though all your German *Kommilitonen* keep telling you of *Bild*'s nefarious, culture-destroying power, you see little evidence of it. Don't argue with them. Just play along. Nod thoughtfully when they admonish it. Make jokes about *Bild* being unworthy of use as toilet paper. That's a good first step.

Of course, it's not just *Bild* that deserves your vitriol. It is merely the visible 10% of the German Media Iceberg of Shame. The other 90% is looming menacingly underneath, in the form of *Bild*'s owner, the media conglomerate Springer. Hating them and all the various companies that they own is so popular it's a wonder they've not made a *Feiertag* for it yet.

Amongst everyday Germans, the hatred of Springer is so deeply ingrained that they've actually developed a physical Pavlovian reaction to it called *Springerschmerz*. It's a sort of nervous tick. It's triggered anytime someone mentions the names *Bild* or *Springer*. When that happens, look for a twinge in the corner of the eye, or a flinch like they're being mildly electrocuted. It's subtle, but noticeable. Keep your eye out for it. Your job is to learn how to mimic this involuntary response so that they can see that your hatred of Springer is just as pronounced as theirs. That you can't quite keep it in, either. Practice at home, in front of the mirror. Or better yet, go and buy a copy of today's *Bild* (don't admit to buying it, and hide it inside of a copy of this week's *Die Zeit* in case someone sees you on the walk home).

Once you read how *Bild* writes about foreigners, or women, or footballers' wives, you should start to feel something. *A jolt. A tingle. Mild discomfort. A desire to shower.* Good, *Ausländer*, good. Harness it… condense it… focus it… then… *snap*. Fire it back out in one short, sharp jolt of *Springerschmerz*.

47. RESPECT THE ZIMMERMANN

One evening, Annett and I are sitting with friends in a restaurant in Leipzig. The restaurant is full and a short man with scruffy, unkempt hair arrives in fancy dress. He taps a fork to a beer glass and the restaurant slowly hushes, turning to face him. "*Meine Damen und Herren*," he begins. "My name is Klaus. I'm a *Zimmermann*. I left my hometown six months and twelve days ago. I've still got nine hundred and three days before I can see it again."

Klaus is not a classically handsome man. His forehead too bulbous, his face all right angles, his voice tinny. But he stands straight and proud. The restaurant is silent. "I'm travelling in the traditional *Zimmermann* art, as did my father and his father before him. From town to town I go, supporting myself with just my hands." Here, he pauses to look down at his two giant, calloused bear-mitts.

"I'm sorry to have interrupted your meal and I wish you a nice evening. If you would be so kind as to contribute a few euros to help me on my way to the next town, I'd appreciate it. And, of course, if your home needs attention, I will treat it with the dignity and respect I would my own. *Schön' Abend noch und auf Wiedersehen*."

What happens next surprises me: no one else is annoyed that this medieval blacksmith has interrupted us. Instead, people open their hearts and their wallets to him. Some even order him a *Schnaps*. He gets €10 in cash and that is just from our table. I see several others handing over banknotes and wishing him all the best. This confuses me greatly. I'm always on the lookout for a job easier than my own and so sit transfixed as more and more people give him free drinks and money. "Who was that person?" I ask after he's left.

"Just a *Zimmermann*," says Annett.

"Don't say that like it's a thing. You just made that word up, didn't you?"

"No. It's a thing."

"Why is he dressed like a feudal superhero?"

"That's his work clothes. He only has that one outfit."

"Why?"

"Tradition. They have a lot of unusual traditions."

I rub my temples. "None of this makes any sense."

"They're like wood work apprentices. They do DIY for people in exchange for food and somewhere to sleep." Annett says this very calmly, as if it does make perfect sense to her.

"Why don't they just exchange work for money, like everyone else?" I ask.

"Tradition. They're also forbidden from returning to their hometown for the whole length of their apprenticeship. They are *auf der Walz*, as it's called. Three years and a day, I think."

"Do they blow a magic whistle when they walk and a trail of rats follow along behind them?"

Annett rolls her eyes. "Why are you trying to make this into something weird? They are just handiworker apprentices. It's not weird."

Since that night, I've seen quite a few *Zimmermänner* around. I almost don't find them weird anymore, which shows I've lived here too long. I think I now also understand why they have such revered status amongst everyday Germans. Why they think the *Zimmermann* possesses a quiet, honest dignity that's been lost by office work. It's because the *Zimmermann*'s job involves a combination of all the holy German values—handiwork, nature, tradition, *Wandern*, beer, uniforms, unnecessary complication, manual labour, apprenticeships, engineering, and, last but in no way least, wood. He's a roving German cultural Superman.

Your job? Simple. Be his Lois Lane.

48. PILZESAMMELN

Do you like mushrooms, dearest foreigner? Would you like to harvest them in their natural habitat? No, the supermarket is not their natural habitat, silly. Nature is. If yes, you're in luck, for there is a fun and typically German harvesting hobby available to you. It's *Pilzesammeln* (collecting mushrooms)…

I first experienced this curious *Freizeitaktivität* while on a hiking trip that a German friend had guilted me into attending. While walking through the woods, counting down the hours until we could go back and watch *Tatort*, we bumped into a small group of elderly people on their way home. They had a little cart on the back of one of their bicycles. In this cart were a lot of empty beer bottles and several full bags. One of the ladies, looking very proud of herself, held open a bag so that we could peer inside.

It was full of mushrooms.

From her face you'd have thought it was gold. "It only took twenty minutes, I think," she said, swaying slightly. "We had a few beers. I might have lost track of time and then suddenly the bags were full!" *Hiccup.* She might have been aiming for *Pilze*, but she'd certainly also spent some time with *Pils*. She reached out to steady herself on a nearby tree. "You need to slice and *panieren* them *wie ein Schnitzel*," she said, trying to hand us some to take.

"Thanks," I said. "But I'm not really a mushroom person."

"Seriously?" *Hiccup.* "Not even the *Maroon*?! The king of mushrooms, the *Maroon*."

I'd heard of the pop band Maroon 5 and getting marooned on a desert island, but never "the *Maroon*." "How do you know which is a *Maroon*?" I asked. A pitying look came over her face. I'd revealed my full simpleton-ness. "Yes, maybe you shouldn't collect mushrooms," she said. "I knew a *Pilz* expert once. He

died… ate a very poisonous mushroom." We thanked them and parted ways. While we didn't take any of their mushrooms, we did take one of their remaining beers. *Sternburg*, in many ways the king of beers. "So is *Pilzesammeln* a big thing in Germany?" I asked my hiking partner, Jenny.

"At certain times of the year, yeah. People take it quite seriously. Don't they in the UK?"

"They take going to Tesco quite seriously. My mum has achieved semi-professional status. She's there six days a week."

"I don't know, there's something about hunting and gathering your own dinner. It's more noble, somehow," she said.

"I'm not sure hunting around in the dirt like a pig to cook a fake mushroom *Schnitzel* that kills me because I've misidentified it as a *Maroon*, the king of mushrooms, is a particularly noble death."

She pondered this for a moment. "Yeah, but you're incompetent. You make taking a shower look like an extreme sport. Red Bull would probably sponsor you. I think it's important for us Germans to have, how would you say it? *Naturfähigkeit*?"

I shrugged dismissively. I do this a lot when other people are right in a way that irritates me. "Nature competence?" I suggest. "Yeah, well, I think I'm quite happy with my *Supermarktfähigkeit*, *danke*."

49. KASSEKEGELN

After navigating the aisles of your local supermarket, you will, no doubt, arrive at the *Kasse* (check-out) with your trolley full of the German essentials—*Quark*, *Quark*, *Quark*, beer, *Quark*, *Erdnussflips*, impossibly dark bread, and bio eggs. Possibly, you'll have a few other positively *Stiftung Warentested* goods as well, if they're on special offer. You check, twice, that you have

placed a divider between your goods and the identical goods of the person behind you. Not to use such a divider is a great affront against your nation-folk. Like doing the Macarena at a funeral.

Divider is there? So far, so good. This supermarket trip is progressing smoothly. But then, working on the till will be a middle-aged woman with short hair and glasses. Her name badge will say "Frau Schmidt." Her stern facial expression suggests she's sucking a lemon. She will offer you a Minimum Viable Greeting as you pass, moving down into the packing area. This greeting might be a slight nod, a sharp "*Hallo*," or "*Guten Tag*."

This is the klaxon.

The high stakes supermarket retail game of *Kassekegeln* has begun. Germany will play it with you every time you visit one of its supermarkets. It won't care if you don't want to. It won't care if you are bad at it. This one is mandatory.

The game works like this: arriving in the packing area, you quickly begin to get out all the many plastic and cotton bags you have brought with you. This is commendable, but your ecological conscientiousness buys you no leniency from Frau Schmidt. She will not wait for you to prepare your bags. Instead, she will start scanning your items as fast as humanly possible, until they pile up at the bottom in a big heap. In response, stressed, you must abandon the careful, multi-bag packing system you were in the process of establishing. You're reduced to throwing anything you can grab into some sort of receptacle.

Frau Schmidt sees this. *Nice try, Kunde*, she thinks. She speeds up. Oh no. You speed up. With your arms flailing, you dive to try and protect your breakable goods. But it's not enough. She takes the tins and your bottles of fizzy water and launches these down the runway at the pile of items you haven't packed yet. She's taking care to specifically aim for your bio eggs, avocados, and *Quark*. Now she's bowling a melon towards your *Brötchen*! The inhumanity. Anything but the *Brötchen*! Hang on—you

don't even like melon. Where did this melon come from? Too late. *Strike!* Your *Brötchen* self-destruct. Frau Schmidt is happy, but doesn't show it. So good is her poker face.

You're panicking now. There's food everywhere and you can't remember which bag had the eggs! Too late. Heavy stuff crushes breakables. Raw meat cuddles up against apples. The next customer has arrived in the packing area and wants to start packing. They hover suspiciously close to you, their cold, dead eyes judging you for your inefficiency. "First day on planet earth?" their expression asks. You have no time to answer, for you're busy wildly scooping up *Quark*, so much *Quark*, to try and get it out of the firing line. Surely they know about *Kassekegeln*? That none of this is your fault? You mutter a few words of apology and leave, flustered, your arms full of badly packed bags and dented *Quark*.

"Guten" says Frau Schmidt to the next customer, her arms already in position.

The cycle repeats, *ad infinitum*. Welcome to Germany.

50. BECOME A KICKER MAESTRO

If you've spent time in bars, or workplaces, it's likely that your German friends have invited you to play *Kicker* or *Tischfußball* (table-top football) against them. You might think this is a simple, friendly request. It is not. It is booby-trapped. It is a Trojan friendship horse. Perhaps you wanted to say yes. Maybe you even did say yes. Then something happened, didn't it? It's okay—you can talk about it. We're all friends here. It has happened to us too. You got absolutely humiliated. Drubbed. Humbled. Defeated. Didn't you? You did. It turns out, Germans are really good at *Kicker*. When one asks, "Do you want to play *Kicker*?" what they really mean is, "Do you want me to destroy you at *Kicke*r? You should see this step-over thing I can do. I'll only play with one hand if you want? I'm going to continue celebrating every goal, even the tenth of the 10–0 victory. You will not recover from the shame for weeks."

Now, having learnt this, the obvious thing to do is to never play *Kicker* again. When they ask, look disparaging at your arm, then tell them about your bad case of *Kicker* elbow. But this is cheating. If we want to be like them, and they are good at *Kicker*, we must also develop flair and aptitude for manipulating little men on rods. First, some advice: don't just start playing. That's a rookie mistake. Contrary to popular opinion, the best way to learn to swim is not to fall off the back of a boat. In order to match them, you must learn to think like them. Begin by learning the rules of the game. Buy a book on effective *Kicker*. That's what they would do. Now, highlight it. Perhaps enrol in a VHS course. Thirty-one weeks, €40. Or study YouTube technique videos. Perform wrist-strengthening exercises during your quiet moments. Pretend you're the Karate Kid—*wax on, wax off.*

Now you are ready. However, do not—I repeat, do not—just

go challenge any random German adult who happens to be nearby. That's like challenging Jesse James to a gunfight, or Salvador Dalí to a paint-off. Begin, first, with a small German child. Perhaps a child with just one arm, or other physical disadvantages such as not being tall enough to reach the handles. While this child will already be able to beat you by the age of five, you will at least get to touch the ball, perhaps—more by luck than judgement—you might even score a goal. This is important for your confidence. From there, you can slowly advance the age of your opponent—and reduce their physical handicap—until you're ready to accept the *Kneipe* challenge of random (most likely male) German adolescents. You will lose soundly, of course. That's a given. But you may not totally humiliate yourself. They might let you score an own goal. Perhaps, when you shake hands with them afterwards, their smile won't be too pitying. This is all you can hope for.